비전공자를 위한
이해할 수 있는 파이썬

PYTHON

최원영 지음

"AI 시대에 최적화된 **파이썬** 공부법"

비전공자를 위한
이해할 수 있는 파이썬

T.W.I.G
티더블유아이지

프롤로그

생성형 AI 시대에 최적화된 파이썬 공부법

미국인에게 일을 시키려면 영어라는 언어를 사용해야 하듯이, 컴퓨터에게 일을 시키려면 C언어나 자바(JAVA)와 같은 프로그래밍 언어를 사용해야 합니다. 그리고 여러 프로그래밍 언어 중 가장 배우기가 쉽고, 활용도가 높은 언어가 바로 파이썬입니다.

프로그래밍 언어로 컴퓨터에게 일을 시키는 모습

파이썬을 배우면 매일 반복되는 업무를 자동화할 수 있습니다. 10시간이 걸리는 일도 단 1분 만에 해낼 수 있죠. 수작업으로 해야 하는 일을 컴퓨터가 대신해주니 생산성이 크게 올라갈 수밖에 없습니다.

그러나 파이썬이 쉬운 언어라 해도 업무를 자동화하는 수준으로 배우는 건 결코 쉽지 않은 일입니다. 지식을 배우는 것과 그것을 활용하는 건 또 다른 문제니까요. 다행히 ChatGPT로 대변되는 생성형 AI의 등장으로 파이썬의 활용이 좀 더 쉬워졌습니다. 이제는 기초 지식만 있는 사용자도 생성형 AI의 도움을 받아 코드를 뚝딱 완성할 수 있습니다.

```python
import mss
import time

def capture_screen_interval(output_dir, interval=1/30, duration=10, region=None):
    with mss.mss() as sct:
        # 화면 캡처할 모니터 설정: 기본값은 첫 번째 모니터의 전체 화면
        monitor = region if region else sct.monitors[1]
        start_time = time.time()
        frame_count = 0
        # 지정된 시간 동안 반복하여 스크린샷 캡처
        while time.time() - start_time < duration:
            # 스크린샷 파일 저장
            sct.shot(mon=monitor, output=f"{output_dir}/screenshot_{frame_count}.png"
            print(f"Screenshot {frame_count} saved")
            frame_count += 1
            # 다음 스크린샷까지 정확한 간격 유지
            time.sleep(max(0, interval - (time.time() - start_time - frame_count * i

# 사용 예
region = {'top': 160, 'left': 160, 'width': 800, 'height': 600}  # 캡처할 화면 영역 지
capture_screen_interval('screenshots', duration=5, region=region)  # 5초 동안 지정된 영
```

생성형 AI가 코드를 작성해주는 모습

중요한 건, 기초 지식은 고정된 것이 아니라 시대의 변화에 따라 달라진다는 것입니다. 컴퓨터를 예로 들어보죠. 윈도우(Windows)와 같은 운영체제가 없던 시기에는 하드웨어의 작동 원리를 알아야 컴퓨터를 사용할 수 있었습니다. 그때는 그것이 기초 지식이었습니다. 하지만 지금은 파워포인트(PowerPoint)나 엑셀(Excel)과 같은 프로그램을 능숙하게 다루는 능력이 기초 지식에 가깝습니다. 파이썬도 마찬가지입니다. 생성형 AI의 등장으로 파이썬을 활용하기 위한 기초 지식이 빠르게 바뀌고 있습니다. 이는 곧 파이썬을 공부하는 방법 역시 달라져야 함을 의미합니다.

《비전공자를 위한 이해할 수 있는 파이썬》에는 생성형 AI 시대에 최적화된 파이썬 공부법이 담겨 있습니다. 생성형 AI를 잘 활용하기 위해 꼭 필요한 기초 지식뿐 아니라 생성형 AI의 도움을 받아 직접 코드를 작성해봄으로써 자연스럽게 파이썬 활용 능력이 배양되도록 내용을 구성했습니다. 이 책이 파이썬을 공부하는 모든 분들에게 많은 도움이 될 수 있기를 바랍니다.

생성형 AI
가입 및 사용 방법

IT 세계에서의 용어 혼용

IT 분야는 역사가 짧습니다. 반면 변화의 속도는 매우 빠르죠. 처음 나왔던 용어가 자리를 잡기도 전에 비슷한 의미의 용어가 함께 사용되다 보니, 어느 순간 경계가 모호해집니다. 프로그래머와 개발자, 프로그래밍과 코딩, 개발 등이 대표적이죠. 독자의 이해를 돕기 위해 비슷한 용어는 다음과 같이 # 을 이용해서 표시하였습니다.

프로그래머(#개발자), 프로그래밍(#코딩, #개발)

'대표 용어만 알고 있으면 되지 않나?' 하는 생각이 들 수 있습니다. 문제는 모르는 걸 검색하거나 생성형 AI에게 질문할 때 발생합니다. 질문에 대한 답변이 꼭 내가 알고 있는 용어로만 나온다는 보장이 없습니다. 프로그래머와 개발자처럼 쉽게 파악할 수 있는 것들도 있지만, 아닌 것들이 더 많습니다. 따라서 비슷한 의미를 갖는 용어들을 함께 알아두어야 합니다. 이를 위해 책에서는 이런 용어들이 나올 때마다 반복적으로 표기를 하였습니다.

생성형 AI의 답변 정리

생성형 AI와 주고받은 대화는 문장이 깔끔하지 않습니다. 이는 가독성을 해치는 요인이 되므로 책에서는 다음과 같이 문장을 다듬어서 삽입하였습니다.

> **You**
> 30초마다 화면 스크린샷을 찍는 파이썬 코드를 만들어줘.
>
> **ChatGPT**
> 당신의 요청을 위해 파이썬으로 간단한 스크린샷을 찍는 코드를 만들어볼게요. 이를 위해서는 'pyautogui' 라이브러리를 사용할 겁니다. 'pyautogui'는 마우스 및 키보드 제어, 스크린샷 찍기 등과 같은 작업을 자동화하는 데 사용되는 라이브러리입니다.
>
> ```
> Copy code
> pip install pyautogui
> ```

생성형 AI의 답변 원문

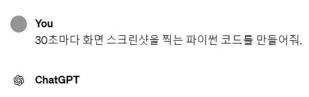

You
30초마다 화면 스크린샷을 찍는 파이썬 코드를 만들어줘.

ChatGPT
요청을 수행하기 위해서는 마우스 및 키보드 제어를 통해 자동화 작업을 할 수 있는 pyautogui 라이브러리가 필요합니다.

```
pip install pyautogui
```

수정한 생성형 AI의 답변

이 책의 활용법

매 장 시작 페이지에 영상 강의와 질문 QR 코드가 삽입되어 있습니다. 책을 먼저 읽고, 그다음 영상 강의를 시청해주세요. 이후 책으로 한 번 더 복습하면서 궁금한 내용을 질문하면 학습 효과를 극대화할 수 있습니다.

더불어 책에 있는 모든 QR 코드는 아래 링크에서 확인이 가능합니다.

https://m.site.naver.com/1oPLZ

그럼 이제 파이썬을 배우러 가볼까요?

목차

제4장 컴퓨터가 데이터를 이해하는 방식, 자료형

제5장 변수와 연산자

제8장 조건을 다루는 조건문

제9장 리스트와 반복문

제10장 딕셔너리

네 번째 실습

총정리

제1장

파이썬 언어와
파이썬 프로그램

파이썬은 프로그래밍 언어입니다.
그런데 파이썬을 처음 배우면 파이썬을 설치하라는 이야기부터 듣습니다.
언어를 설치하라니, 시작부터 혼란스럽습니다.
1장에서는 파이썬 언어와 파이썬 프로그램이 어떻게 다른지 알아보겠습니다.

1장 영상 강의

1장 관련 질문

01 파이썬 언어는 무엇일까?

카페 사장이 아르바이트생을 고용했습니다. 그리고 원활한 업무를 위해 다음과 같은 할 일 문서를 작성했습니다. 아르바이트생은 이 문서를 보고 그대로 행동합니다.

1. 손님이 오면 인사를 한다.
2. 손님이 카운터로 오면 주문을 받는다.
3. 만약 손님이 아메리카노를 시키면?
   a. 원두를 넣는다.
   b. 원두를 분쇄한다.
   c. … 등등.
4. 만약 손님이 아이스크림을 시키면?
   a. 작동을 확인하고, 아이스크림이 나오는 입구에 콘을 놓는다.
   b. 천천히 아이스크림을 빼면서 모양을 잡는다.
   c. … 등등.

컴퓨터에게 일을 시키는 과정도 이와 비슷합니다. 사람이 할 일 문서를 작성하면 컴퓨터가 문서에 적힌 내용을 그대로 실행합니다. 그런데 컴퓨터에게 전달하는 문서는 어떤 언어로 적어야 할까요? 컴퓨터에게 일을 시키려면 프로그래밍 언어를 사용해야 합니다. 우리가 공부하는 파이썬은 프로그래밍 언어 중 하나로 배우기가 쉽고, 다양한 분야에 활용할 수 있어 널리 쓰이고 있습니다.

그림 1-1 다양한 프로그래밍 언어들(왼쪽부터 자바, 파이썬, 루비, 피에이치피, 스위프트)

프로그래밍 언어를 사용해 컴퓨터에게 일을 시키는 사람을 프로그래머(#개발자)라고 부릅니다. 또, 프로그래머가 프로그래밍 언어로 문서 작업을 하는 행위를 프로그래 밍(#코딩, #개발)이라고 하죠. 그리고 이렇게 프로그래밍 언어로 만들어진 문서를 코 드라고 합니다.

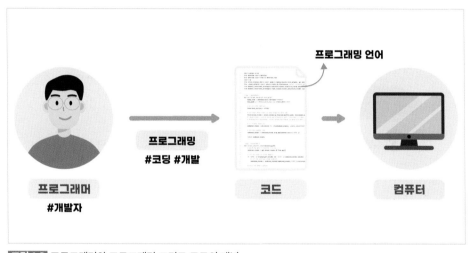

그림 1-2 프로그래머와 프로그래밍 그리고 코드의 개념

02

인간과 컴퓨터 사이의 매개체, 컴파일러와 인터프리터

왼쪽에는 한국인이 있습니다. 그리고 오른쪽에는 아랍인이 있죠. 둘 다 영어나 공통 언어를 모른다고 가정해봅시다. 이 상황에서 한국인이 아랍인에게 인사를 건네려 면 어떻게 해야 할까요? 통역이나 번역기 같은 중간 매개가 필요합니다.

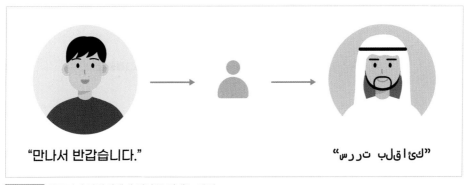

"만나서 반갑습니다."   "سررت بلقائك"

그림 1-3 한국인이 아랍인에게 인사를 건네는 과정

이번에는 인간과 컴퓨터입니다. 인간이 컴퓨터에게 어떤 일을 시키려고 합니다. 그 런데 컴퓨터는 0과 1로 이루어진 기계어를 사용합니다. 쉽게 말해, 서로 대화가 통하 지 않습니다. 마찬가지로 중간 매개가 필요하겠네요. 이러한 역할을 하는 것이 바로 컴파일러와 인터프리터입니다.

컴파일러는 프로그래밍 언어로 작성된 문서를 기계어인 0과 1로 바꿔줍니다. 이 방 식은 장단점이 명확합니다. 우선, 프로그래밍 언어를 0과 1로 바꾸는 데 시간이 오래 걸립니다. 보통 프로그래머는 수백, 수천 번 동작을 테스트하는데, 매번 그 과정에서 시간이 소요된다면 고된 작업이 될 수밖에 없습니다. 하지만 일단 0과 1로 바꾸고 나 면 프로그램이 빠른 속도로 동작합니다. 과거에는 대부분의 언어가 컴파일러를 사용

했습니다. 컴퓨터 성능이 좋지 못해 속도가 느린데, 동작하는 프로그램까지 느리면 안 됐기 때문입니다. 이렇게 컴파일러를 사용하는 언어를 컴파일 언어라고 합니다. 대표적인 컴파일 언어로는 C언어가 있습니다.

그런데 시간이 흐르면서 컴퓨터의 성능이 비약적으로 발전합니다. 이전과는 비교도 할 수 없을 만큼 속도가 빨라진 것이죠. 속도 문제가 어느 정도 해결되었으므로, 이제 는 쉽고 편리한 프로그래밍으로 초점이 옮겨갑니다. 그렇게 컴파일러보다 프로그래 밍 작업이 수월한 중간 매개가 등장하니, 바로 인터프리터입니다. 인터프리터는 코 드를 0과 1로 바꾼 뒤 실행하는 컴파일 방식과 다르게 코드를 한 줄 한 줄 바로 실행 합니다. 이렇게 인터프리터를 사용하는 언어를 인터프리터 언어라고 하는데 우리가 배울 파이썬이 대표적인 인터프리터 언어입니다.

그림 1-4를 보면서 정리해보죠. 프로그래머는 컴퓨터에게 시킬 일을 컴퓨터가 이해 할 수 있는 프로그래밍 언어로 작성합니다. 이렇게 작성된 코드를 중간 매개인 컴파 일러와 인터프리터가 해석하여 컴퓨터가 실행할 수 있게 해줍니다.

그림 1-4 프로그래머가 컴퓨터에게 일을 시키는 과정

03 파이썬 '언어'를 배우는데 왜 '프로그램'을 설치해야 하죠?

파이썬 언어를 처음 배우면 파이썬 프로그램부터 설치합니다. 언어를 배우는데 왜 프로그램을 설치해야 하는 걸까요?

컴퓨터에는 CPU, 메모리, 보조기억장치 등이 들어갑니다. 이러한 부품을 하드웨어라고 부르죠. 컴퓨터에는 하드웨어를 관리해주는 프로그램이 있습니다. 컴퓨터를 켜면 자동으로 실행되는 프로그램, 바로 운영체제(Operating System, OS)입니다. 운영체제 덕분에 우리는 부품들의 동작 원리를 몰라도 컴퓨터를 사용할 수 있습니다.

PC에서는 보통 마이크로소프트의 윈도우(Windows)와 애플의 맥OS(macOS)를 사용합니다. 모바일에서는 애플의 iOS와 구글의 안드로이드(Android)를 쓰죠. 프로그램은 각각의 운영체제 위에서 동작합니다. 예를 들면, PC에서 쓰는 파워포인트는 윈도

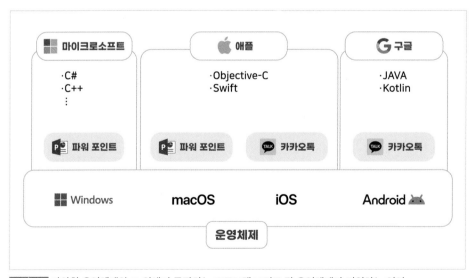

그림 1-5 다양한 운영체제와 그 위에서 동작하는 프로그램 그리고 각 운영체제가 지원하는 언어

우 혹은 맥OS 운영체제 위에서, 모바일에서 사용하는 카카오톡은 안드로이드 혹은 iOS 운영체제 위에서 동작하죠. 문제는 운영체제마다 지원하는 언어가 다르다는 것입니다. 애플의 운영체제인 맥OS와 iOS에서 동작하는 프로그램을 만들려면 오브젝티브 C(Objective-C) 혹은 스위프트(Swift) 언어를 써야 합니다. 안드로이드에서 동작하는 프로그램은 자바(JAVA) 혹은 코틀린(Kotlin) 언어를 사용해야 하죠. 프로그램을 만들어서 모든 운영체제에 한번에 올릴 수 있는 게 아니라, 운영체제에 알맞은 프로그램을 각각 만들어야 하는 것입니다.

현재는 주로 네 개의 운영체제를 사용하지만, 과거에는 수십 개가 있었습니다. 프로그래머가 배워야 하는 언어도 그만큼 많았고, 하나의 프로그램을 서비스하기 위해 각 운영체제별로 프로그램을 만들어야 해서 여간 힘든 일이 아니었습니다. 이 문제를 해결해 큰 인기를 얻은 프로그래밍 언어가 바로 자바(JAVA)입니다. 그림 1-6에서 볼 수 있듯, 사용자가 자신의 운영체제에 자바 프로그램을 설치하면* 운영체제에 관계없이 자바 언어로 만든 프로그램이 동작합니다. 즉, 개발자는 자바 언어로 단 하나의 프로그램만 만들면 됩니다. 굉장히 편리하죠.

그림 1-6 PC에 자바 프로그램을 설치하면 운영체제에 관계없이 자바 언어로 만든 프로그램이 동작한다.

---

* 보통 'PC에 다운로드한다'라고 표현하는데요, 정확히 말하면 운영체제에 설치하는 것입니다.

파이썬 언어도 자바 언어와 비슷한 방식입니다.* 사용자가 운영체제에 파이썬 프로그램을 설치하면 윈도우, 맥OS에 관계없이 파이썬 언어로 만든 프로그램이 동작합니다. 정리하면, 파이썬은 프로그래밍 언어 그 자체이고, 파이썬 프로그램은 파이썬 언어로 만든 프로그램이 운영체제 위에서 동작할 수 있도록 도와주는 프로그램입니다.**

그림 1-7 PC에 파이썬 프로그램을 설치하면 윈도우, 맥OS에 관계없이 파이썬 언어로 만든 프로그램이 동작한다.

간혹 모바일 앱을 만들기 위해 파이썬 언어를 배우고 싶다는 분들이 있는데요, 아쉽게도 아직은 파이썬 언어로 모바일 운영체제 위에서 동작하는 프로그램을 만드는 데는 한계가 있습니다. 모바일 프로그램은 해당 운영체제(iOS, 안드로이드)에서 지원하는 언어를 배워야 합니다.

파이썬 언어와 파이썬 프로그램의 개념이 명확하게 이해가 되시죠? 다음 장을 공부하기 전에 QR 코드에 접속해 파이썬 프로그램을 설치해주세요.

파이썬 프로그램
설치

---

* 동작 방식은 비슷하지만, 내부 원리는 다릅니다.
** 중간 매개인 인터프리터도 파이썬 프로그램에 들어 있습니다.

편집 과정에서 작가님께 했던 질문과 답변을 공유합니다. (제 마음이 곧 여러분의 마음!)

1. 생성형 AI가 코드를 다 만들어주는데, 굳이 파이썬 언어를 배울 필요가 있을까요?

생성형 AI 덕분에 프로그래밍 언어를 배우는 것이 확실히 쉬워졌습니다. 그러나 생성형 AI 에도 한계가 존재합니다. 먼저, 생성형 AI가 항상 올바른 코드를 작성하는 것은 아닙니다. 문제가 생기면 생성형 AI와의 질의응답을 통해 이를 해결해야 하는데, 기초 지식이 있으면 좀 더 수준 높은 질문과 답변을 주고받을 수 있습니다. 또, 생성형 AI는 간단한 코드만 작성 할 수 있습니다. 간단한 코드를 합쳐서 방대한 코드로 완성하는 과정은 결국 사람이 해야 합니다.

2. '파이썬을 활용해 ○○을 한다.'에서 파이썬은 언어를 말하는 건가요, 프로그램을 말하는 건가요?

파이썬이란 단어 하나에 언어와 프로그램, 그리고 이 둘을 활용해 무언가를 하는 행위가 섞 여 있어 처음 공부하는 입장에서는 헷갈릴 수 있습니다. 위 표현의 의미는 다음과 같습니다.

파이썬 언어로 문서를 작성 → 파이썬 프로그램(인터프리터)이 이를 해석 → 컴퓨터가 ○○을 수행

이 책에서도 파이썬 언어와 프로그램 그리고 이 둘을 활용해 무언가를 하는 행위를 모두 '파이썬'으로 지칭하고 있는데요, 위와 같이 개념을 바탕으로 문맥에 맞게 이해하면 됩니다.

3. 다양한 프로그래밍 언어가 있습니다. 각 언어별로 무엇을 할 수 있는지 알려주세요.
프로그래밍 언어별 특징은 출판사 블로그에 상세히 정리해두었습니다. QR 코드에 접속해 확인해주세요.

프로그래밍
언어별 특징

제2장

문서 작업을 도와주는 도구, 파이참

파이썬 프로그램을 설치했더니,
이번에는 파이참(PyCharm) 프로그램을 이야기합니다.
파이참은 또 무엇일까요?
2장에서는 파이참 프로그램의 개념과 화면 구성을 살펴보겠습니다.

2장 영상 강의

2장 관련 질문

2장 코드

01 통합개발환경(IDE)

A4용지 100페이지 분량의 문서를 작성한다고 해보죠. 이 많은 분량을 손으로 쓰는 것은 생각만 해도 끔찍합니다. 팔이 아픈 건 둘째치고, 문서가 완성된 후에는 중간에 내용을 추가하거나 수정하기가 어렵습니다. 메모장 프로그램은 어떨까요? 손으로 쓰는 것보다는 편리하지만, 텍스트를 입력하는 것만 가능할 뿐 이미지, 표, 그래프 등은 넣을 수가 없습니다. 반면, 워드나 한글 같은 문서 편집 프로그램을 사용하면 수월하게 문서 작업을 할 수 있습니다.

컴퓨터에게 일을 시키는 프로그래밍(#코딩, #개발)도 문서 작업입니다. 그런데 이 문서에는 단 한 글자라도 오탈자가 있어서는 안 됩니다. 오탈자가 있으면 중간 매개인 인터프리터가 문서를 그만 읽어버리기 때문이죠. 이런 상황을 프로그래머(#개발자)는 오류(#에러, #버그)라고 표현합니다. 문서 작업이 원활하도록 도와주는 프로그램이 있으면 좋겠죠? 이러한 프로그램을 통합개발환경(Integrated Development Environment, IDE) 또는 텍스트 에디터(#소스 코드 편집기)라고 합니다.*

IDE는 오탈자를 잡아줄 뿐 아니라 알파벳 한두 글자만 입력하면 자동으로 적고 싶은 코드를 추천 또는 완성해줍니다. 또한, 작성한 코드가 제대로 동작하는지, 잘못된 명령어를 입력하지는 않았는지 확인하는 등 여러 기능을 갖추고 있죠.

프로그래밍 언어가 다양한 것처럼 문서 작업을 도와주는 프로그램에도 여러 가지가 있습니다. 파이썬으로 문서를 작성할 때는 주로 파이참(PyCharm)과 비주얼 스튜디오 코드(Visual Studio Code)를 쓰는데, 이 책에서는 파이참을 사용합니다.

---

* 통합개발환경(IDE)에 더 많은 기능이 들어 있습니다.

그림 2-1 업무용 문서 편집 도구인 한글과 MS워드(좌), 프로그래밍 언어(주로 파이썬) 문서 편집 도구인 파이참과 비주얼 스튜디오 코드(우)

파이참 프로그램의 역할이 이해되셨나요? 그럼 오른쪽 QR 코드에 접속해 파이참을 설치해주세요.

파이참 프로그램 설치

엑셀 파일을 저장하면 파일명 뒤에 .xlsx이 붙습니다. PDF 파일에는 .pdf가 붙죠. 또, 워드 파일에는 .docx가 붙습니다. 이렇게 뒤에 붙는 단어를 확장자라고 합니다. 그렇다면 파이썬으로 작업한 문서에는 어떤 확장자가 붙을까요? 바로 .py가 붙습니다. 즉, 컴퓨터는 .py를 보고 파이썬으로 작성된 문서라고 판단합니다.

02 파이참의 화면 구성

워드나 엑셀 프로그램을 처음 사용했던 순간을 떠올려보세요. 기능과 이름이 낯설고 어렵게 느껴지지 않았나요? 파이참을 처음 접하는 분들도 아마 비슷한 느낌을 받을 겁니다. 파이참과 좀 더 친해질 수 있도록 파이참의 화면 구성을 살펴보겠습니다.

1 새 프로젝트 만들기

프로젝트를 처음 만드는 경우

01 바탕화면에 있는 파이참 프로그램을 실행하면 아래와 같은 창이 뜹니다. (Tip 과 사용 동의 안내창이 나오면 동의 버튼을 누르고 닫아주세요.) ❶ 화면 중앙에 있는 New Project를 눌러주세요.

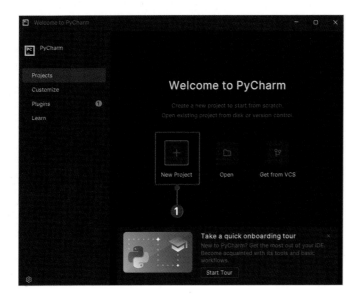

02 새로운 프로젝트를 만드는 창이 떴습니다. ❶ 웰컴 스크립트 작성 여부(Create a main.py welcome script) 항목에 체크하고 ❷ Create를 누릅니다. 이제 35페이지의 '공통' 항목으로 넘어가주세요.

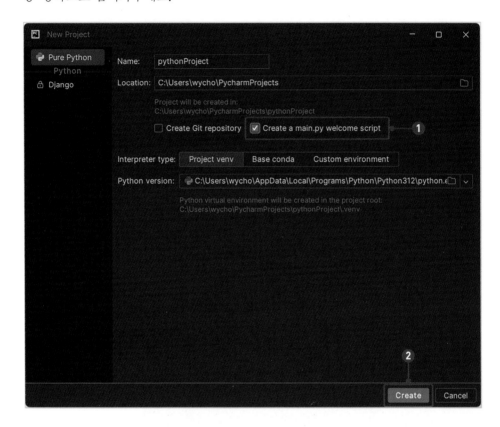

프로젝트를 이미 만들어본 경우

01 파이참 프로그램을 열어주세요. ❶ 왼쪽 상단의 ☰ 아이콘을 누르면 메뉴 탭이 나옵니다. ❷ File을 클릭한 후, ❸ New Project를 누릅니다.

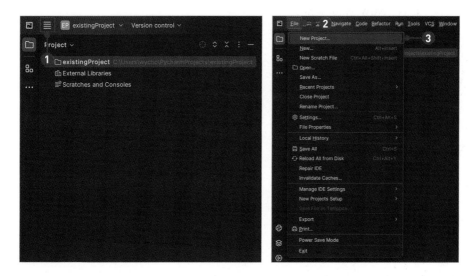

02 새로운 프로젝트를 만드는 창이 뜨면 ❶ 웰컴 스크립트 작성 여부(Create a main.py welcome script) 항목에 체크하고 ❷ Create를 눌러주세요.

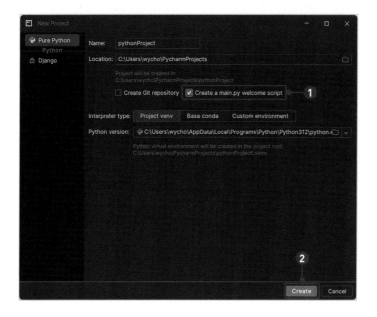

03 파이참을 실행하면 현재 화면에 이전에 작업했던 코드가 떠 있습니다. 현재 화면에서 새로운 프로젝트를 열고 싶다면 This Window를 선택합니다. 반면, 파이참을 추가로 열고 그곳에서 새로운 프로젝트를 열고 싶다면 New Window를 누릅니다. ❶ 책에서는 New Window를 선택합니다.

공통

새로운 프로젝트가 열렸습니다. 한글이나 MS워드는 문서를 편집할 수 있는 공간만 있습니다. 반면, 파이참은 화면이 두 개로 나뉘어 있습니다. 왼쪽(파란색 영역)에서 폴더와 파일을 선택할 수 있고, 오른쪽(빨간색 영역)에서 코드를 입력해 프로그래밍 작업을 할 수 있죠. 같은 문서 편집 프로그램인데 왜 화면 구성이 다른 걸까요?

그림 2-2 파이참의 화면 구성. 왼쪽에서 폴더 및 파일 관리를, 오른쪽에서 프로그래밍 작업을 할 수 있다.

한글이나 MS 워드로 문서 작업을 할 때는 하나의 프로젝트를 하나의 파일로 끝냅니다. '맛고 맛있게 먹는 법'을 주제로 문서를 작성한다면, 관련 내용을 쭉 적은 다음 파일을 저장하면 되죠. 반면, 파이썬으로 프로그래밍을 할 때는 여러 개의 파일을 활용합니다. 예를 들어, '주식 사이트에서 특정 데이터를 추출하고 분석하는 법'을 주제로 코드를 작성한다면, 주식 사이트에 접속하는 코드를 파일1에, 특정 데이터를 추출하는 코드를 파일2에, 데이터를 분석하는 코드를 파일3에 작성하는 식이죠.

물론, 코드가 짧으면 하나의 파일로도 충분합니다. 다만, 코드가 길면 파일을 나누고 폴더로 관리하는 것이 훨씬 편리합니다. 이런 이유로 대부분의 IDE와 텍스터 에디터는 화면 구성이 비슷합니다.

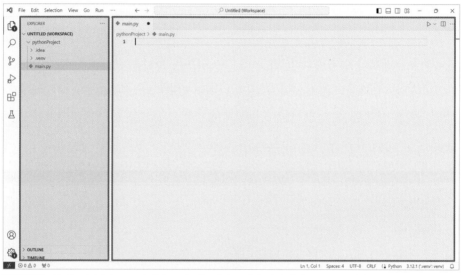

그림 2-3 비주얼 스튜디오 코드의 화면 구성. 왼쪽에서 폴더와 파일 관리를, 오른쪽에서 프로그래밍 작업을 할 수 있다.

다시 파이참 화면을 보겠습니다. ❶ 코드 입력창에 코드를 적고 ❷ 상단에 있는 실행 버튼(▷)을 누르면 인터프리터가 첫 번째 줄부터 순서대로 코드를 읽으며 요청을 수행합니다. 그리고 ❸ 수행 결과를 하단 박스에서 알려줍니다. 이 박스를 터미널이라고 부릅니다.

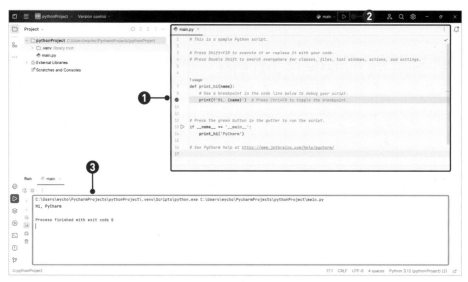

그림 2-4 코드를 작성하고 실행 버튼을 누르면 터미널에 수행 결과가 나온다.

터미널은 컴퓨터*와 대화하는 창구 역할을 합니다. 컴퓨터에게 요청을 할 수도 있고, 요청 결과를 받아보기도 하죠. 그러나 터미널은 파이참의 하단 박스만을 지칭하는 개념이 아닙니다. 훨씬 넓은 의미를 내포하고 있습니다. 지금부터 터미널의 개념에 대해 좀 더 자세히 알아보겠습니다.

---

* 터미널에서 대화하는 대상은 주로 운영체제이지만, 다른 프로그램과도 대화할 수 있기에 컴퓨터라고 지칭했습니다.

03 터미널이란?

1 컴퓨터를 제어하는 두 가지 방식

초기에 사용했던 컴퓨터는 크기가 엄청났습니다. 거의 집 한 칸을 가득 채울 정도였죠. 우리가 알고 있는 데스크톱 형태의 컴퓨터가 등장한 것은 1980년대 초입니다. 그림 2-5의 모니터를 보면 초록색과 하얀색으로 영어가 적혀 있습니다. 바로, 명령어입니다. 이 당시에는 명령어로 컴퓨터를 제어했습니다. 그래서 명령어를 알고 있는 사람만 컴퓨터를 쓸 수 있었죠. 이렇게 명령어로 컴퓨터를 제어하는 방식을 커맨드 라인 인터페이스(Command Line Interface, CLI)라고 합니다.

그림 2-5 초기의 데스크톱 컴퓨터(좌)와 명령어로 컴퓨터를 제어하는 모습(우)

이후 애플의 스티브 잡스와 마이크로소프트의 빌 게이츠가 마우스, 폴더, 파일 등에 그래픽을 접목한 운영체제를 만듭니다. 명령어를 이용해 컴퓨터를 사용하는 건 너무 어려우니, 그래픽으로 쉽게 조작할 수 있게 한 것입니다. 과거에는 파일을 옮기려면 이를 실행하는 명령어를 직접 입력해야 했지만, 새로운 운영체제가 생긴 후부터는 마우스로 파일을 드래그해서 폴더로 옮기면 되었죠. 덕분에 누구나 컴퓨터를 쉽게 사용할 수 있는 퍼스널 컴퓨터(Personal Computer, PC)의 시대가 열립니다. 이렇게 그래픽을 이용해 컴퓨터를 제어하는 방식을 그래픽 유저 인터페이스(Graphic User Interface, GUI)라고 합니다.

그런데 GUI의 시대가 열린 이후에도 프로그래머들은 여전히 명령어로 컴퓨터를 제어하는 방식(CLI)을 함께 사용하고 있습니다. 오랜 기간 CLI 환경에서 프로그래밍을 해오다 보니, 이용하는 도구나 주변 환경이 모두 CLI에 최적화되어 있었던 것이죠. 이런 이유로 윈도우와 맥OS 위에는 CLI를 사용할 수 있는 프로그램이 존재합니다. 이러한 프로그램들을 통칭해 터미널이라고 부릅니다.

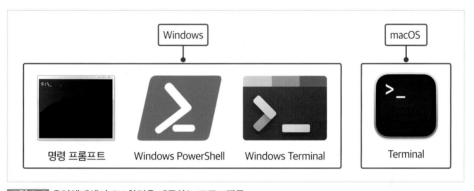

그림 2-6 운영체제에서 CLI 환경을 제공하는 프로그램들

파이참에서 실행 버튼을 누르면 나오는 하단의 박스에는 운영체제의 터미널 프로그램이 연결되어 있습니다. 이런 이유로 이 박스 역시 터미널이라고 부릅니다.

② 실행 버튼을 누르면 일어나는 일

워드 아이콘을 더블 클릭하면 워드 파일이 열립니다. 원래는 워드 파일을 실행하는 명령어를 입력해야 하지만(CLI 방식), 그래픽을 붙여(GUI 방식) 쉽게 사용하도록 한 것입니다. 파이참에도 이런 기능이 있습니다.

main.py라는 이름을 가진 파일 안에 코드가 적혀 있습니다. 이 코드를 실행하려면 터미널에 다음과 같은 명령어를 입력해야 합니다(CLI 방식).

python main.py

그런데 보통 프로그래머는 코드가 제대로 동작하는지 알기 위해 수백, 수천 번 코드를 실행해봅니다. 그때마다 명령어를 타이핑해야 한다면 번거롭겠죠? 이때, 실행 버튼을 누르면(GUI 방식) 파이참이 자동으로 터미널을 띄운 후, 명령어 python main.py를 실행합니다. 그리고 그 결과를 터미널에서 보여주죠. 덕분에 프로그래머는 명령어를 직접 입력하지 않고도, 코드 실행과 그 결과를 손쉽게 확인할 수 있습니다.

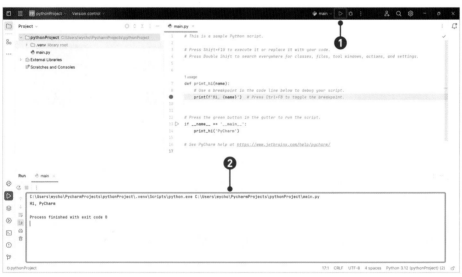

그림 2-7 실행 버튼을 누르면 자동으로 명령어가 실행되고 그 결과가 터미널에 나온다.

실행 결과 해석하기 & 터미널에 결과를 보여주는 명령어, print

코드 입력창에 아래와 같은 코드를 작성하고, 실행 버튼을 누릅니다.

```python
# 곱하기 실습
result = 3 * 1


```

곧 파일에 적힌 코드가 실행되고, 그 결과가 터미널에 나옵니다. 그림 2-8을 보면서 결과를 해석해봅시다. ❶ 첫 번째 줄에는 역슬래시(\)와 함께 주소가 적혀 있습니다. 주소의 빨간 박스 부분을 보니 python.exe와 main.py가 있네요. 파이썬 (python.exe)에게 파일(main.py) 내부에 적힌 코드를 실행하라는 의미입니다. ❷ 두 번째 줄에는 Process finished with exit code 0이라고 적혀 있습니다. 요청이 성공적으로 수행되었다는 문구입니다.

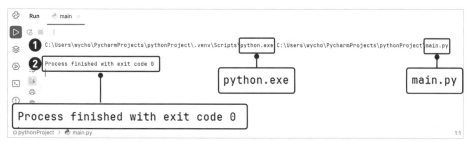

그림 2-8 요청 수행 결과를 보여주는 터미널 화면

그런데 요청이 성공적으로 수행되었다는 것만 알려주고, 그 결과물을 터미널에서 볼 수가 없습니다. 이럴 때 쓸 수 있는 코드가 결과물을 터미널에 출력해주는 print 입니다.

❶ 위와 같이 print를 적고 ❷ 다시 실행 버튼을 누르자, ❸ 터미널에 결괏값 3이 나오고 ❹ 그 아래 요청이 성공적으로 수행되었다는 문구(Process finished with exit code 0)가 함께 출력되는 것을 볼 수 있습니다.

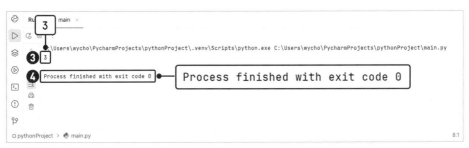

그림 2-9 print를 활용해 터미널에 결괏값을 출력한 모습

print는 언제 쓰는 게 좋을까요? 그림 2-10의 왼쪽과 같은 엑셀 데이터에서 현재가가 10만 원 이하인 종목을 찾는 코드를 만들었다고 가정해보겠습니다. 실행 버튼을 누르면 인터프리터가 코드의 첫 번째 줄부터 순서대로 읽으며 요청을 수행합니다.

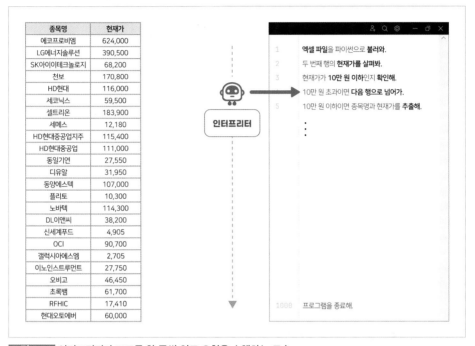

그림 2-10 인터프리터가 코드를 한 줄씩 읽고 요청을 수행하는 모습

그리고 터미널에 요청이 잘 수행되었다는 문구(Process finished with exit code 0)가 표시되죠. 문제는 프로그래머의 의도와는 다른 결과, 예를 들면 10만 원 이하인 종목이 아니라, 10만 원 이상인 종목이 나와도 코드 자체에 오류가 있는 게 아니라면 터미널에는 요청이 잘 수행되었다는 문구(Process finished with exit code 0)가 뜬다는 것입니다. 이 경우 프로그래머는 코드의 어느 부분을 수정해야 하는지 확인이 어렵습니다.

이런 일을 방지하기 위해 프로그래머는 코드 중간 중간에 print를 넣어 진행 상황을 체크합니다. print를 적은 부분은 터미널에서 실행 결과를 확인할 수 있으므로, 의도와 다른 결과가 나왔을 때 어디를 고쳐야 하는지 쉽게 파악할 수 있습니다.

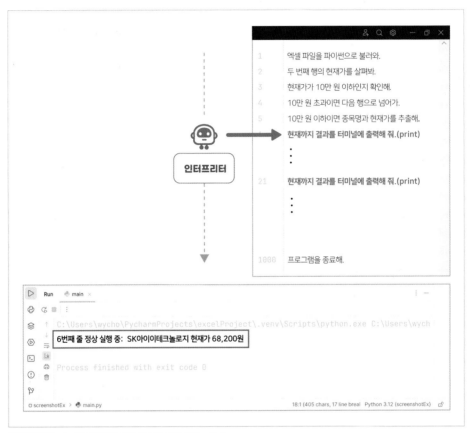

그림 2-11 print를 이용해 진행 상황을 체크하는 모습

배운 내용 정리

그림 2-12를 보면서 지금까지 배운 내용을 복습해보겠습니다. ❶ 컴퓨터에는 CPU, 메모리, 보조기억장치 등이 들어갑니다. 이러한 부품을 하드웨어라고 부르죠. 하드웨어를 관리하는 프로그램이 바로 운영체제입니다. 대표적으로 윈도우와 맥OS가 있죠. ❷ PC에 파이썬 프로그램을 설치하면 운영체제에 관계없이 파이썬 언어로 만든 프로그램이 동작합니다. 그리고 이 파이썬 프로그램 안에는 인간과 컴퓨터 사이에서 중간 매개 역할을 하는 인터프리터가 들어 있습니다.

❸ 프로그래머는 컴퓨터에게 시킬 일을 파이썬 언어로 프로그래밍합니다. ❹ 이때, 프로그래밍을 수월하게 하기 위해 통합개별환경(IDE)인 파이참을 활용하죠. ❺ 이렇게 파이썬 언어로 작업한 코드에는 확장자 .py가 붙습니다.

❻ 코드를 완성한 후, 실행 버튼을 누르면 인터프리터가 코드를 한 줄씩 실행합니다. 그리고 요청 수행의 결과를 터미널에서 알려줍니다.

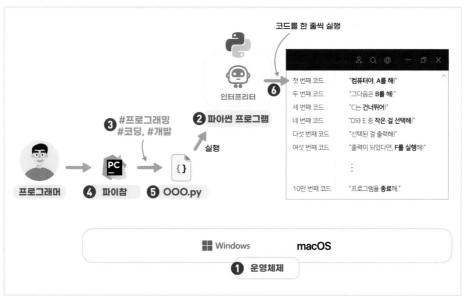

그림 2-12 파이썬으로 컴퓨터에게 일을 시키는 과정

1. 2장에서 살펴본 코드 중에 # 이 있던데, 이건 뭔가요?

```python
# 곱하기 실습
result = 3 * 1
```

코드가 길어지면 나중에 이 코드를 왜 썼는지 기억하기가 힘듭니다. 이때 쓸 수 있는 키워드가 바로 # 입니다. # 으로 시작하는 줄은 인터프리터가 코드로 인식하지 않습니다. 즉, # 을 메모처럼 활용할 수 있습니다. 프로그래밍에서는 # 을 주석이라고 부르는데요, 보통 아래처럼 단축키를 눌러 사용합니다.

윈도우: 컨트롤(Ctrl) + /

맥OS: 커맨드(Cmd) + /

2. 코드 중간에 줄바꿈이 있어도 되나요?

인터프리터는 한 줄씩 명령어를 읽으며 요청을 수행합니다. 그렇기 때문에 순서만 맞으면 줄바꿈은 상관없습니다. 그럼 왜 줄바꿈을 하는 걸까요? 코드가 빽빽하게 적혀 있으면 가독성이 떨어집니다. 그래서 보기 편하게 공백을 두는 것이죠. 즉, 코드에 공백을 두는 것은 프로그래머의 선택입니다.

3. 파이참의 배경색은 선택이 가능한가요? 각 배경색의 장단점도 궁금합니다.

그림 2-13 파이참의 라이트 모드(좌)와 다크 모드(우)

하얀색 배경을 라이트 모드, 검은색 배경을 다크 모드라고 합니다. 하얀색 배경은 코드가 눈에 잘 띈다는 장점이 있고, 검은색 배경은 눈이 덜 피로하다는 장점이 있습니다. 각자 필요에 따라 선택하면 됩니다.

파이참에서 라이트 모드와 다크 모드를 설정하는 방법은 QR 코드에 접속해 확인해주세요.

라이트 모드와
다크 모드
설정 방법

제3장

패키지와
가상환경

프로그램을 만들기 위해서는 수많은 코드가 필요합니다.
이 많은 코드를 직접 만들어야 한다면 너무 힘들겠죠.
이번 장에서는 코드의 집합인 패키지와
패키지가 엉키지 않도록 정리하는 가상환경을 배워보겠습니다.

3장 영상 강의

3장 관련 질문

누군가 만들어놓은 코드

엑셀은 다뤄야 하는 데이터의 양이 많아지면 속도가 느려집니다. 반면, 파이썬은 방대한 양의 데이터를 빠른 속도로 처리할 수 있죠. 엑셀의 데이터를 파이썬으로 가져와서 작업하면 좋겠죠? 그런데 엑셀과 파이썬은 서로 다른 프로그램입니다. 엑셀의 데이터를 파이썬으로 가져오려면 행과 열로 이루어진 엑셀의 복잡한 구조를 코드로 다 적어야 합니다. 이는 어지간한 프로그래머(#개발자)도 벅찰 정도의 대작업입니다. 다행히 누군가가 엑셀과 관련된 코드를 만들어두었습니다. 우리는 그 코드를 그대로 가져다 쓰면 됩니다. 프로그래밍(#코딩, #개발) 세상에서 널리 쓰이는 격언이 있습니다.

바퀴를 다시 발명하지 말라!(Don't reinvent the wheel)

이미 만들어진 것이 있다면 다시 만들지 말고 그냥 가져다 쓰라는 의미입니다. 우리가 필요로 하는 대부분의 코드들은 이미 누군가가 만들어두었습니다. 이렇게 만들어진 코드의 집합을 패키지(#라이브러리)라고 합니다.* 재미있게도 프로그래밍 세상에서는 대부분의 패키지가 무료입니다.

개념을 좀 더 세분화해보겠습니다. 그림 3-1에서 볼 수 있듯, 프로그래머는 프로그래밍을 할 때 파일(.py)을 여러 개로 나눕니다. 각각의 파일에는 코드가 적혀 있죠. 이렇게 코드가 적혀 있는 파일(.py) 하나를 모듈이라고 합니다. 그리고 이 모듈을 여러 개 묶은 것이 바로 패키지입니다.

---

* 패키지는 직접 만들 수도 있습니다.

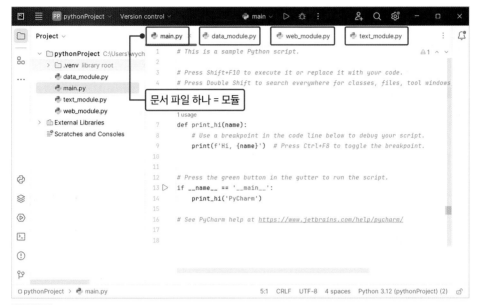

그림 3-1 네 개의 파일(.py)로 나눠서 프로그래밍하는 모습

패키지는 크게 둘로 나뉩니다. 하나는 파이썬 표준 라이브러리입니다. 여기서는 패키지 대신 라이브러리라는 용어가 쓰였네요. 파이썬 표준 라이브러리는 파이썬 프로그램을 다운로드할 때 함께 설치됩니다. 즉, 파이썬 프로그램 내부에 있는 패키지입니다.

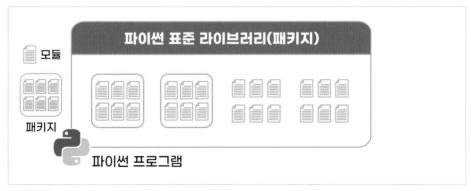

그림 3-2 파이썬 표준 라이브러리(패키지)

세상의 모든 패키지를 파이썬 프로그램 안에 다 넣으면 용량이 엄청나겠죠? 이런 이유로 파이썬 표준 라이브러리에는 꼭 필요하거나 자주 사용하는 패키지와 모듈만 들어 있습니다.

파이썬 표준 라이브러리에 없는 다른 패키지는 별도로 다운로드해야 합니다. 이처럼 파이썬 외부에 있는 패키지를 외부 라이브러리라고 합니다.

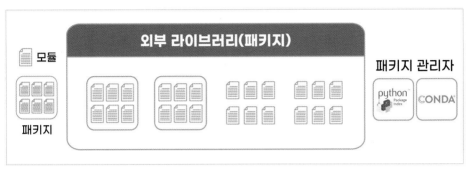

그림 3-3 외부 라이브러리(패키지)

프로그래밍을 하다 보면 수많은 패키지를 다운로드하고 또 삭제합니다. 이 모든 패키지를 각각 다운로드하고 폴더별로 구분해서 이를 다시 프로젝트 폴더에 연결해야 한다면 매우 번거롭겠죠. 다행히 패키지의 다운로드와 정리를 도와주는 도구가 있습니다. 바로, 패키지 관리자입니다. 패키지 관리자는 여러 가지가 있는데, 파이썬 프로그래밍에서는 주로 pip와 conda를 사용합니다. 이 책에서는 pip를 사용해 패키지를 다운로드하는 연습을 해볼 건데요, 그 전에 생각해봐야 할 것이 있습니다. 바로 패키지의 버전입니다.

그림 3-4 패키지 관리자 pip(좌)와 conda(우)

02 서로 다른 버전을 정리하는 가상환경

문서 작업하는 순간을 떠올려보죠. 보통 초안을 작성하고, 여기에 수정에 수정을 더해 최종 문서를 완성합니다. 그런데 문서를 15번 정도 수정했다면, 초안과 최종 결과물을 같은 문서라고 할 수 있을까요? 프로그래밍도 마찬가지입니다. 처음 작성한 코드와 최종 코드는 다를 수밖에 없고, 최종 코드 또한 상황에 맞춰 계속 수정합니다. 이런 이유로 프로그래밍에서는 코드의 버전을 구분합니다. 처음 만든 패키지를 1.0.0 버전으로 정했다고 가정해봅시다. 이후 업데이트가 될수록 버전의 숫자가 올라가는데 앞자리로 갈수록 큰 변화, 뒷자리로 갈수록 작은 변화를 의미합니다. 예를 들어, 1.0.0 버전이 2.0.0 버전이 되었다면 큰 변화가, 1.0.1 버전이 되었다면 작은 변화가 있었음을 유추해볼 수 있죠. 버전을 구분하는 것이 왜 중요할까요? 이해를 돕기 위해 예시를 들어보겠습니다.

탕수육을 좋아하는 최원영이란 사람이 《탕수육론》을 집필했습니다. 그리고 추후에 내용을 보완할 수 있으니, 버전을 1.0.0으로 정했습니다.

> 탕수육은 찍먹이다.
> 이유는 사람들이 찍먹을 좋아하기 때문이다.
> (Ver 1.0.0 최원영의 《탕수육론》)

그런데 김철수라는 사람이 《탕수육론》에 영감을 받아서, 이를 기반으로 한 《중국집론》을 집필합니다.

> 중국집은 자고로 탕수육을 찍먹으로 만들어야 한다.

이유는 최원영의《탕수육론》에서 사람들이 찍먹을 좋아한다고 했기 때문이다.

(Ver 1.0.0 김철수의《중국집론》)

시간이 흘러, 최원영은《탕수육론》을 업데이트합니다. 그런데 입맛이 변해서인지 이전과는 전혀 다른 이야기를 합니다.

탕수육은 부먹이다.

이유는 사람들이 은근히 찍먹을 안 좋아하기 때문이다.

(Ver 2.0.0 최원영의《탕수육론》)

최원영의《탕수육론》내용이 바뀌면서 김철수의《중국집론》내용이 틀어졌습니다. 프로그래밍 세계에서도 이와 같은 일이 벌어집니다.

보통 규모가 크고 기능이 많은 패키지들은 다른 패키지를 활용해서 만듭니다. 기존에 만들어진 패키지들을 가져다 쓰는 것이죠. A패키지와 B패키지를 활용해 프로그래밍하는 상황을 가정해보겠습니다.

A패키지와 B패키지 모두 C패키지를 이용해 만들었습니다. 문제는 A패키지는 C패키지의 1.0.0 버전을, B패키지는 C패키지의 15.1.2 버전을 쓰고 있다는 것이죠. A·B 패키지를 동시에 사용하려면 C패키지의 1.0.0 버전과 15.1.2 버전을 둘 다 설치한 후, A패키지를 열어 1.0.0 버전을 연결하고, B패키지를 열어 15.1.2 버전을 연결해야 합니다. 이미 복잡하죠? 그런데 여기서 끝이 아닙니다. 파이썬 프로그램도 버전이 있습니다. 만약 A패키지는 파이썬 프로그램 2.0.0 버전에 맞춰져 있고 B패키지는 파이썬 프로그램 3.0.0에 버전에 맞춰져 있다면, 내 코드는 어느 버전으로 동작시켜야 할까요? 패키지가 두 개만 돼도 이렇게 복잡한데 여러 프로젝트를 진행하며 수백 개의 패키지를 쓴다면 어떻게 될지 벌써부터 머리가 아프네요.

프로그래머는 이 상황을 가상환경으로 해결합니다. 그림 3-5를 함께 봐주세요. 가상환경은 프로젝트 단위로 패키지를 다르게 정리하는 것을 말합니다. 위 상황을 예로 든다면, A패키지와 C패키지의 1.0.0 버전 그리고 파이썬 프로그램 2.0.0 버전을 한

곳에 두고, 다른 곳에는 B패키지와 C패키지의 15.1.2 버전 그리고 파이썬 프로그램 3.0.0 버전을 넣어 관리하는 것입니다. 이렇게 가상환경을 설정해두면 서로 다른 버전의 패키지와 프로그램을 엉킴 없이 사용할 수 있습니다.

그림 3-5 가상환경을 만들어 서로 다른 버전의 패키지와 프로그램을 관리하는 모습

참고로 특정 패키지가 두 곳의 가상환경에서 필요한 경우, 각각 따로 설치를 해줘야 합니다. 가상환경은 서로 영향을 미치지 않기 때문이죠. 또, 하나의 가상환경에는 하나의 파이썬 프로그램만 들어갈 수 있습니다. 파이썬 프로그램 2.0.0 버전과 3.0.0 버전을 동일한 가상환경에 두고 사용할 수 없다는 의미입니다.

앞서 프로그래밍 작업을 도와주는 프로그램으로 비주얼 스튜디오 코드와 파이참이 있다고 했죠? 비주얼 스튜디오 코드에서는 가상환경을 만드는 과정이 다소 복잡합니다. 반면, 파이참은 간편하게 가상환경을 만들 수 있죠. 파이참이 비주얼 스튜디오 코드보다 편리한 점 중 하나입니다. 파이참에서 가상환경을 만드는 과정은 뒤에서 다시 보여드리겠습니다.

03 패키지를 설치하는 방법

패키지 관리자인 pip를 이용해 행과 열로 이루어진 데이터를 다루는 판다스(pandas) 패키지를 다운로드해보겠습니다. 두 가지 방법이 있습니다.* 첫 번째는 파이참의 터미널 창에 직접 명령어를 입력하는 커맨드 라인 인터페이스(CLI) 방식입니다.

01 파이참을 열고 하단 왼쪽 탭에 있는 터미널 버튼을 클릭합니다.

---

* 두 가지 중에 더 편한 방식으로 설치해주세요.

02 터미널 창이 열리면 pip install pandas를 입력하고 엔터를 누릅니다.

잠시 기다리면 성공적으로 패키지가 설치되었다는 안내 문구가 나옵니다. (Successfully installed numpy-1.26.4 pandas-2.2.2 python-dateutil-2.9.0.post0 pytz-2024.1 six-1.16.0 tzdata-2024.1) 그런데 판다스뿐 아니라 numpy, python-dateutil, pytz, six와 같은 패키지가 함께 설치되었습니다. 앞서 규모가 큰 패키지는 다른 패키지를 이용해서 만든다고 말씀드렸죠? 즉, 판다스 패키지를 사용하기 위해서는 다른 패키지의 특정 버전이 필요해 함께 설치된 것입니다.

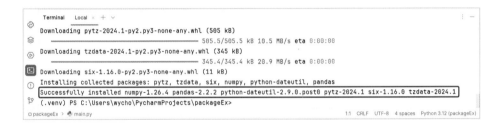

03 패키지가 제대로 설치되었는지 확인해보겠습니다. ❶ 하단 왼쪽 탭에 있는 터미널 버튼을 클릭한 후, ❷ pip list를 입력하고 엔터를 누릅니다. 그럼, ❸ 지금까지 설치된 패키지 목록을 볼 수 있습니다.

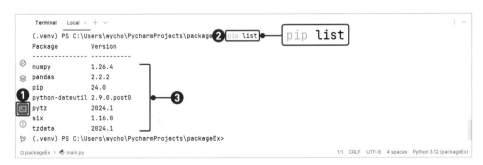

두 번째는 하단 왼쪽 탭에 있는 파이썬 패키지(Python Packages)를 활용하는 것입니다. pip에게 요청하는 건 같지만, 명령어를 쓰지 않고도 패키지를 설치할 수 있습니다. 우리에게 익숙한(검색창과 버튼을 이용하는) 그래픽 유저 인터페이스(GUI) 방식입니다.

01 터미널 하단 왼쪽 탭에서 파이썬 패키지 버튼을 클릭합니다.

02 검색창에 pandas(판다스)를 입력합니다.

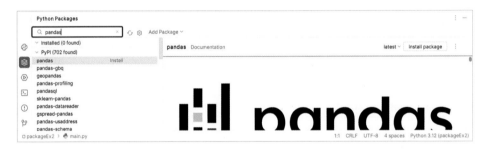

03 ❶ 오른쪽 화면 상단의 Install package 버튼을 눌러 판다스를 설치합니다. 이때 ❷ pandas 옆에 Install 버튼을 눌러 버전을 고를 수 있습니다. 책에서는 2.2.2 버전을 선택했습니다. 왼쪽 목록을 보면 pandas라는 단어가 포함된 패키지들이 쭉 나오는데요, 다른 패키지를 설치하지 않도록 주의합니다.

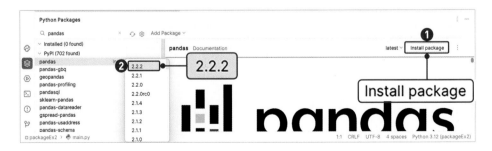

하단에 파란색 다운로드 바(bar)가 생성되며 설치가 시작됩니다. 설치가 완료될 때까지 잠시 기다려주세요.

04 패키지가 제대로 설치되었는지 확인해보겠습니다. 검색창에 적혀 있는 pandas 텍스트를 지워주세요. 그다음 ❶ 검색창 바로 아래에 있는 Installed 버튼을 누르면 지금까지 설치한 패키지를 모두 볼 수 있습니다. ❷ 패키지 목록에 있는 pandas를 클릭하면 ❸ 우측 상단에 ⋮ 버튼이 나오는데, 이 버튼을 클릭한 후 ❹ 그 아래 있는 Delete Pakage를 누르면 설치된 패키지를 삭제할 수 있습니다.

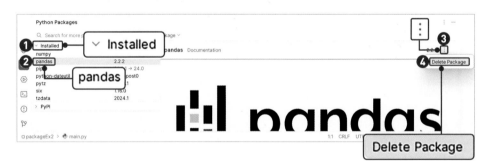

04 환경설정 화면을 살펴보며 배운 내용 복습하기

01 파이참을 열고 ❶ 상단 메뉴 탭에서 ▤ 버튼을 눌러 ❷ File을 열어준 후, ❸ New Project를 선택합니다.

02 새 프로젝트를 여는 창이 나옵니다. 직접 설정하지는 않더라도 각 항목이 어떤 의미인지는 알고 있어야 합니다. 그래야 추후 문제가 생겼을 때, 이를 해결할 수 있습니다. 하나씩 살펴봅시다.

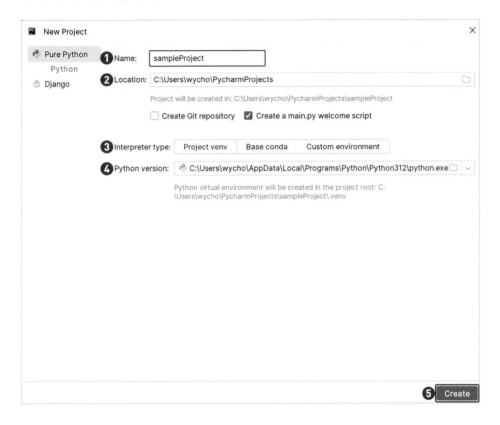

❶ 가장 위에 보이는 Name(이름)은 프로젝트의 이름입니다. 새 프로젝트를 시작할 때마다 파이참이 임시로 지어줍니다. 수정이 가능하므로 프로젝트의 목적에 맞게 직접 정하는 게 좋습니다. 단, 한글을 인식하지 못하는 패키지도 있으니 영문으로 짓는 것을 권장합니다.

❷ 다음 줄의 Location(위치)은 프로젝트를 저장할 폴더의 위치입니다. 그 아래 체크박스 두 개가 보이네요. 첫 번째 박스는 Git을 이용해 파이참의 버전을 관리할 것인지(Create Git repository) 묻는 옵션입니다. 두 번째 박스는 새 프로젝트를 시작할 때 main.py 파일(#모듈)을 만든 뒤, 웰컴 스크립트를 작성해줄지(Create a main.py welcome script) 묻는 옵션입니다. 파이참의 실행 버튼을 누르면 인터프리터가 코드를 한 줄씩 읽고 요청을 수행합니다. 그런데 아래 이미지처럼 파일이 여러 개가 있으면 어떤 파일의 코드부터 읽어야 할까요? 두 번째 박스에 체크를 하면 새 프로젝트를 만들 때 main.py라는 이름의 파일을 만들고, 이후 실행 버튼을 누르면 이 파일부터 읽습니다. 책에서는 두 번째 박스에 체크합니다.

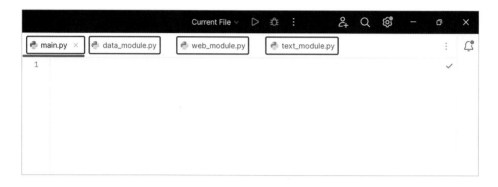

❸ 그다음 줄은 Interpreter type(인터프리터 타입)입니다. 세 가지 옵션이 있네요. 첫 번째 Project venv는 파이참이 자동으로 가상환경을 생성해주는 옵션입니다. 참고로 venv는 가상(Virtual)과 환경(Environment)을 합한 표현입니다. 두 번째 Base conda는 파이썬 프로그램과 다수의 패키지가 잘 세팅된 가상환경을 이용하는 옵션입니다. 이 옵션은 pip가 아니라 conda라는 패키지 관리자를 사용합니다. 마지막 Custom environment는 가상환경을 세팅할 때 디테일한 요소를 직접 선택할 수 있는 옵션입니다. 책에서는 첫 번째 Project venv를 선택합니다.

❹ 마지막 줄은 Project venv를 선택할 때 나오는 Python version(파이썬 버전)입니다. 인간의 언어와 컴퓨터의 언어는 서로 다릅니다. 이 둘 사이에서 인터프리터가 중간 매개 역할을 한다고 했죠. 인터프리터는 파이썬 프로그램에 들어 있습니다. 파이참이 인터프리터를 불러올 수 있도록 파이썬 프로그램의 정확한 위치를 알려줘야겠죠? 이것을 설정할 수 있는 옵션이 바로 Python version입니다. 보통은 자동으로 설정이 되지만, 주소가 정상적으로 보이지 않는다면 파이썬 프로그램이 다운로드된 위치를 직접 적어줘야 합니다.

코드를 작성하고 실행 버튼을 눌렀는데 동작하지 않는 경우가 있습니다. 보통은 가상환경 폴더(venv)가 없거나 인터프리터 설정이 잘못된 경우입니다. 이때, 방금 배운 내용을 알고 있으면 쉽게 해결이 가능하겠죠?

❺ 마지막으로 가장 하단에 있는 Create를 누릅니다.

03 새로운 프로젝트가 생성되었습니다. 왼쪽에는 폴더 및 파일을 관리하는 창이, 오른쪽에는 코드를 작성하는 창이 있습니다. 지금은 내용을 복습하는 게 목적이므로 폴더 및 파일 관리 창만 보겠습니다.

❶ 왼쪽 상단에 프로젝트 폴더가 나옵니다. 폴더의 이름은 앞의 설정 창(Name)에서 정했습니다. 이름 옆에는 주소(폴더의 위치)가 나와 있습니다. 주소가 있다는 것은 윈도우(혹은 맥OS)에 실제 폴더가 존재한다는 의미입니다. ❷ 주소에 마우스를 가져다 대고 오른쪽 버튼을 클릭한 후, ❸ Open In과 ❹ Explorer를 차례대로 누릅니다.

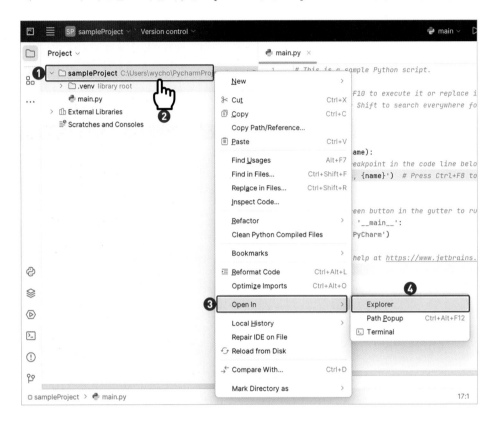

비전공자를 위한 이해할 수 있는 파이썬

04 프로젝트 폴더가 저장되어 있는 상위 폴더가 열립니다. 방금 생성한 프로젝트 폴더를 클릭합니다.

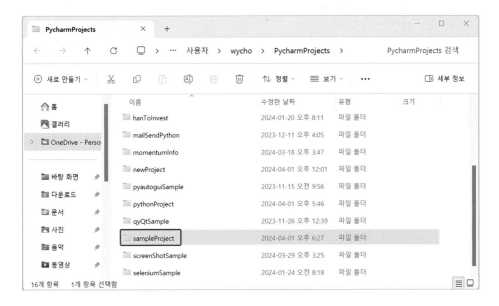

05 프로젝트 폴더 안에 새로운 폴더와 파일이 있네요. ❶ .venv 폴더는 가상환경 폴더입니다. 이곳에서 패키지 관리자를 이용해 여러 패키지와 파이썬 프로그램을 관리할 수 있습니다. ❷ 그 옆에는 main.py 파일이 있습니다. 코드 입력창의 main.py 탭에서 코드를 작성하면 이 파일에 저장이 됩니다.

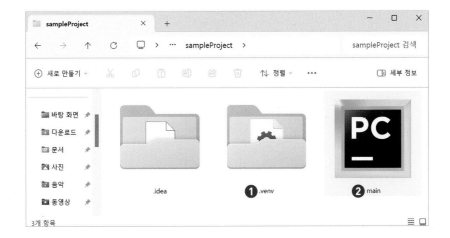

앞서 이야기했듯, 윈도우에 위치해 있는 이 폴더와 파일들은 파이참의 왼쪽 화면에서 편하게 관리할 수 있습니다.

06 가상환경 폴더(.venv) 왼쪽에 있는 화살표(>)를 클릭하면 하위 폴더인 Lib과 Scripts 폴더가 나옵니다. 맥OS에서는 Scripts 대신 bin 폴더가 나올 수 있습니다. 하나씩 살펴보겠습니다.

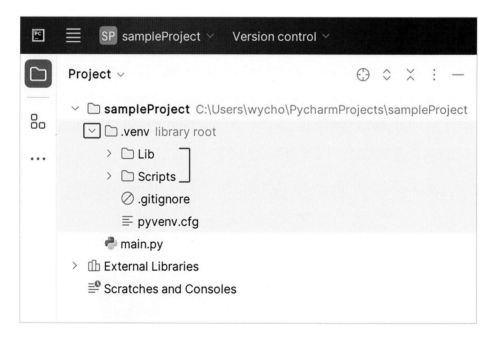

Lib은 라이브러리(Library)의 약자입니다. 폴더 왼쪽에 화살표(>)를 클릭하면, 바로 아래 site-packages라는 폴더가 나옵니다. 그리고 site-packages 왼쪽에 화살표(>)를 클릭하면 이 폴더에 설치된 패키지 목록이 나옵니다. 아직 외부 패키지를 설치하지 않았으므로 패키지 관리자인 pip와 관련된 코드만 보이네요.

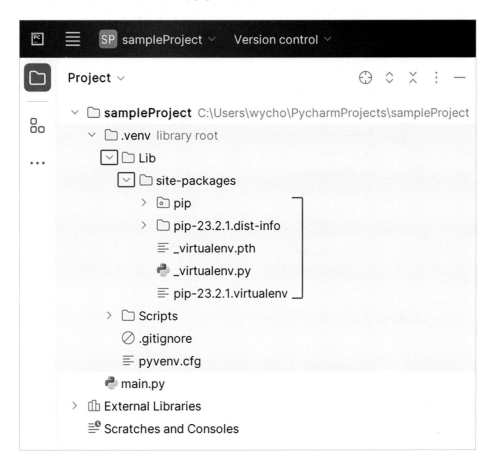

이번에는 Scripts 폴더 왼쪽에 화살표(>)를 클릭합니다. 여러 파일들이 나오는데, python.exe가 눈에 띄네요. 이 파일이 바로 파이썬 프로그램입니다. 원본은 윈도우에 설치되어 있고, 가상환경(.venv)의 Scripts에는 사본이 들어가 있습니다.

마지막으로 그림 3-6을 보면서 지금까지 배운 내용을 한 장의 이미지로 복습해보겠습니다.

❶ 모든 프로그램은 운영체제 위에서 동작합니다. PC의 대표 운영체제로는 윈도우(Windows)와 맥OS(macOS)가 있죠. ❷ 운영체제에 관계없이 파이썬 언어로 만든 프로그램이 동작할 수 있도록 파이썬 프로그램을 설치합니다.

❸ 코드가 적혀 있는 파일 하나를 모듈이라고 하고, 이 모듈이 모여서 패키지가 됩니다. 하나의 컴퓨터에서 여러 프로젝트를 만들다 보면 수많은 패키지와 모듈을 설치해야 합니다. 문제는 각각의 버전이 서로 다르다는 것이죠. 프로그래머는 이 문제를 가상환경으로 해결합니다. 파이참으로 프로젝트 폴더를 만들고 그 안에 가상환경을 설정해두면 서로 다른 버전의 패키지와 모듈을 엉킴 없이 관리할 수 있습니다. 추가로 가상환경에는 패키지와 모듈 외에도 파이썬 프로그램 사본과 패키지 관리자가 들어 있습니다.

❹ 터미널은 컴퓨터와 대화하는 창구 역할을 합니다. 원래는 운영체제 위에 위치하지만, 파이참과 연결되어 있어 파이참의 하단 박스에서도 사용이 가능합니다.

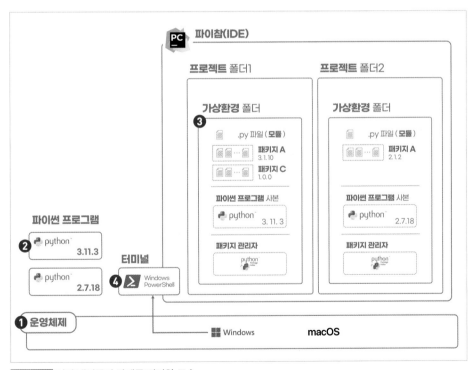

그림 3-6 여러 개념들의 관계를 정리한 모습

1. 패키지는 왜 무료인가요? 저 같으면 돈을 받고 팔 것 같아요!

프로그래밍 세상에는 '지식의 공유'라는 문화가 있습니다. 많은 이들이 사용하는 패키지를 만들었다는 건 프로그래머에게 큰 명예입니다. 유명한 패키지에 한 줄의 코드라도 기여하면 실력 있는 프로그래머라는 명성이 따라오죠. 덕분에 우리는 우수한 패키지들을 무료로 쓸 수 있습니다. 다만, 모든 패키지가 무료인 것은 아닙니다. 패키지를 만들어 판매하는 기업도 있습니다.

2. 본문에서 소개한 판다스 외에 유용한 패키지를 더 알려주세요.

① 셀레니움(Selenium)

크롬(Chrome)이나 마이크로소프트 엣지(Edge) 같은 인터넷 브라우저를 조작하는 패키지입니다. 쇼핑몰에 있는 리뷰를 수집하거나 여러 홈페이지를 돌며 자료를 가져오는 등 웹을 이용한 작업을 할 때, 셀레니움을 사용합니다. 셀레니움은 파이썬뿐 아니라 다른 언어에서도 사용이 가능합니다.

② 파이오토지유아이(pyautogui)

키보드나 마우스를 조작하는 패키지입니다. 파이오토지유아이를 활용하면 키보드와 마우스를 활용하는 모든 작업을 자동화할 수 있습니다. 반복적으로 무언가를 클릭하고 입력하는 작업을 할 때 유용하게 쓰입니다. 파이썬에 특화된 패키지로, 이 책의 네 번째 실습에서 다룹니다.

③ 장고(Django) & 플라스크(Flask)

인터넷 서비스를 제공하기 위해서는 서버가 필요합니다. 그런데 서버를 직접 만드는 것은 굉장히 어려운 일이죠. 이 대작업을 도와주는 패키지가 바로 장고와 플라스크입니다. 마찬가지로 파이썬에 특화된 패키지입니다.

첫 번째 실습

파이썬을 활용하면 방대한 데이터를 효율적으로 관리할 수 있습니다.
첫 번째 실습에서는 데이터 관리의 첫 걸음인 엑셀 데이터를
파이썬 파일로 불러오는 실습을 진행해보겠습니다.

첫 번째 실습 영상 강의

첫 번째 실습 관련 질문

첫 번째 실습 코드

01 엑셀 데이터 불러오기

01 파이참을 열어주세요. ❶ 상단 메뉴 탭에서 ☰ 버튼을 누른 후, ❷ File과 ❸ New Project를 선택합니다.

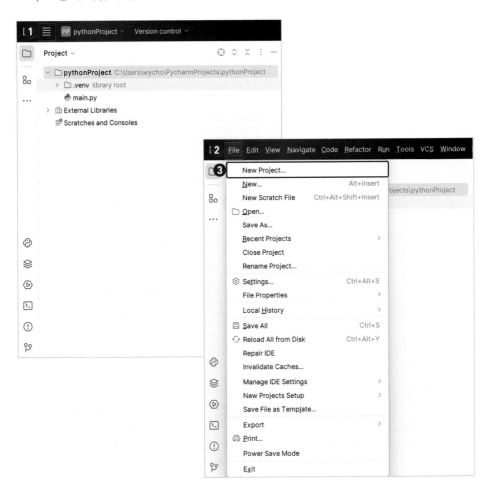

프로젝트를 여는 창이 뜨면 ❶ Name에 프로젝트를 표현하는 이름을 적고 ❷ Create a main.py welcome script에 체크되어 있는지 확인한 후, ❸ Create를 누릅니다.

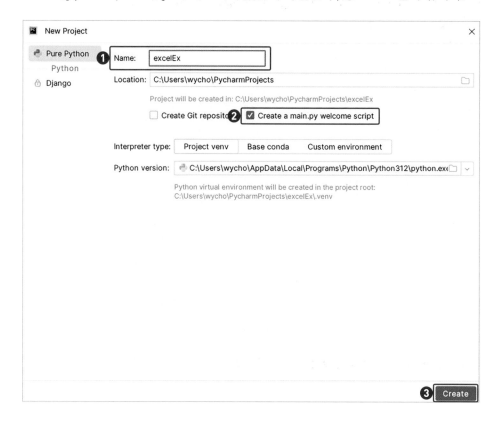

현재 화면에서 새로운 프로젝트를 열고 싶다면 This Window를 선택하고, 파이참을 추가로 열고 그곳에서 새로운 프로젝트를 열고 싶다면 New Window를 누릅니다. 책에서는 New Window를 선택했습니다.

02 새로운 프로젝트가 열렸습니다.

03 행과 열로 이루어진 엑셀과 같은 데이터를 다루기 위해서는 판다스 패키지(#라이브러리)가 필요합니다. 패키지는 가상환경별로 따로 관리했었죠. 새로운 프로젝트의 가상환경에는 판다스 패키지가 없으므로, 이전에 설치를 했더라도 지금 다시 설치해주어야 합니다. 배운 대로 판다스를 설치해주세요.

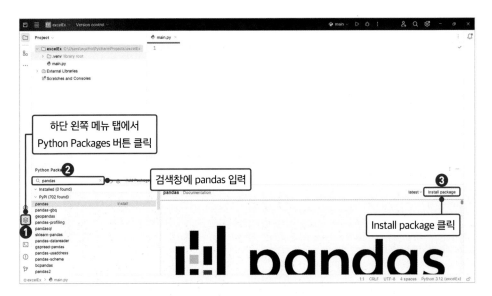

04 엑셀을 열고 A열에는 순번, B열에는 주변에 보이는 것을 적습니다. 이 파일을 바탕화면에 저장합니다. 파일명은 around로 해주세요.

	A	B	C	D	E
1	순번	보이는 것			
2	1	커피잔			
3	2	다이어리			
4	3	조명			
5	4	스티커			
6	5	의자			
7					
8					

05 엑셀 파일을 복사(Ctrl+C)한 후, ❶ 파이참 좌측 프로젝트(Project) 탭의 최상위 폴더에 마우스를 가져다대고 오른쪽 버튼을 누릅니다. ❷ 그다음 붙여넣기(Paste)를 클릭합니다.

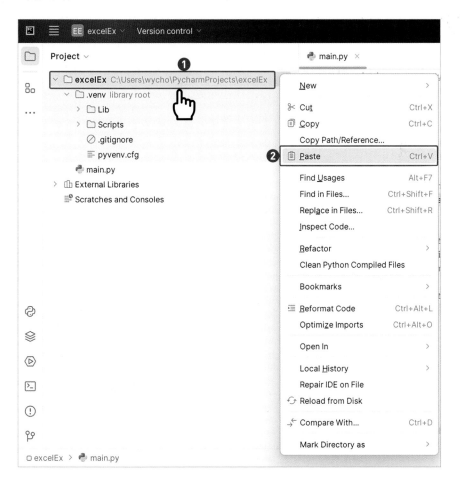

06 아래처럼 새로운 창이 뜨면 OK 버튼을 눌러주세요.

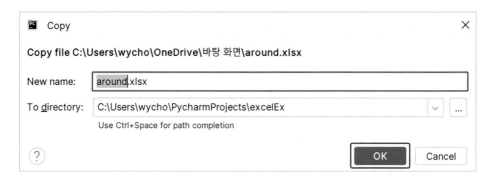

07 가상환경 폴더 밑에 엑셀 파일(around.xlsx)이 생긴 것을 볼 수 있습니다.

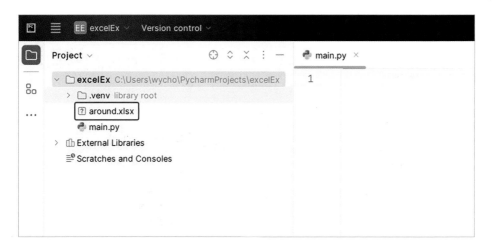

08 이제 코드 입력창에 아래와 같이 적어줍니다. 코드를 작성할 때는 철자, 큰따옴표 (혹은 작은따옴표), 소괄호 등을 정확하게 입력해야 합니다. 첫 번째 실습 시작 페이지에 있는 QR 코드에 접속한 후, 코드를 그대로 복사해서 붙여넣는 것을 추천합니다.

❶ 첫 번째 줄에 import는 무언가를 불러오는 코드입니다. 오른쪽에 pandas가 보이네요. 즉, import pandas는 판다스 패키지를 지금 작업 중인 main.py 파일로 불러오라는 의미입니다. 뒤의 as는 별명을 지어주는 코드입니다. 보통 pandas를 줄여서 pd라고 합니다. 이렇게 별명을 지어두면 앞으로 pd라고 적어도 인터프리터가 pandas로 이해합니다. 별명을 짓지 않으면 계속 pandas를 입력해야 하고요.

또, import로 코드를 불러오다 보면 이름이 겹치는 경우가 있습니다. 이때, 별명을 지으면 인터프리터가 서로 다른 코드를 정확하게 인식할 수 있습니다.

❷ 세 번째 줄을 볼까요? pd는 pandas의 별명이었죠? pd를 적고 점(.)을 찍으면 판다스 패키지에 내장되어 있는 여러 기능을 쓸 수 있습니다. 그중 read_excel은 엑셀 파일의 데이터를 가져오는 기능입니다. 소괄호( ) 안에 있는 around는 파일 이름, .xlsx은 엑셀 파일의 확장자가 되겠네요.

정리하면, 위 코드는 판다스 패키지를 불러온 다음, 그 안에 있는 read_excel이라는 기능을 써서 around라는 이름을 가진 엑셀 파일의 데이터를 main.py 파일로 가져오라는 의미입니다. 참고로 "around.xlsx"에 붙어 있는 큰따옴표(" ")에도 의미가 있는데요, 이 부분은 뒤에서 다시 설명드리겠습니다.

09 이제 실행 버튼을 눌러보죠.

하단 터미널 화면에 아래와 같은 에러(#오류, #버그) 메시지가 뜰 겁니다. 물론, 판다스
의 버전에 따라 다른 메시지일 수도 있습니다.

프로그래밍(#코딩, #개발)을 처음 배우는 분들은 에러 메시지를 접하면 크게 당황합니
다. 시험 문제로 학습 역량을 평가하는 교육과정을 거치면서 문제의 답을 한번에 찾
아내지 못하면 제대로 공부한 것이 아니라는 인식이 박혀 있기 때문입니다. 하지만
프로그래밍이 한번에 완성되는 경우는 드뭅니다. 제아무리 뛰어난 프로그래머(#개발
자)라고 하더라도 수없이 많은 에러와 맞닥뜨리고, 수정을 거듭하면서 코드를 완성
해나갑니다. 따라서 우리는 에러 메시지를 두려워해서는 안 됩니다. 에러 메시지를
만나는 건 언제나 당연한 일이라고 생각해야 합니다. 중요한 건 에러 메시지를 해결
하는 것입니다.

프로그래밍 능력 = 문제 해결 능력

에러 메시지 해결하기
(with 생성형AI)

02

보통은 에러 메시지에 문제와 해결 방법이 들어 있습니다. 만약 에러 메시지를 읽어도 이해할 수 없다면 검색을 해야 합니다. 이것이 생성형 AI가 등장하기 전까지 우리가 프로그래밍을 공부해온 방식입니다. 하지만 지금은 에러 메시지를 그대로 복사해서 생성형 AI에게 물어보면 해결 방법을 알려줍니다. 생성형 AI에게 해결 방법을 물어봤더니 아래와 같이 답변을 해줬습니다.

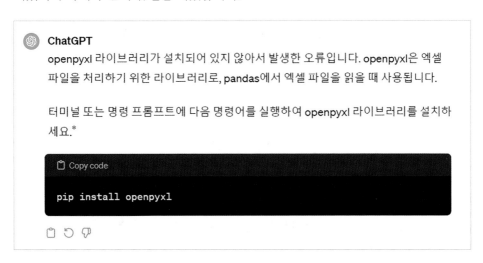

여러 용어가 나오는데, 다행히 다 배운 것들입니다. 생성형 AI가 작성해준 명령어인 pip install openpyxl은 패키지 관리자인 pip를 이용해 openpyxl 라이브러리(#패키지)를 설치하라는 의미입니다. 이미 우리는 두 가지 설치 방법을 배웠습니다.

＊   openpyxl 문제가 아니거나 생성형 AI가 다른 방법을 알려주면 그 방법대로 해보세요.

첫 번째 방법은 터미널(Termanal)을 이용하는 것입니다. ❶ 파이참 왼쪽 하단의 메뉴 탭에서 터미널 버튼을 클릭한 후, ❷ 생성형 AI가 알려준 명령어를 그대로 복사해서* 붙여넣은 후, 엔터를 누릅니다.

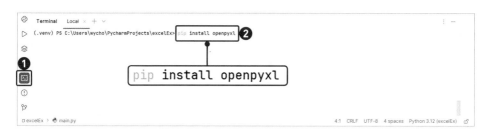

두 번째 방법은 파이썬 패키지(Python Pakages)를 이용하는 것입니다. ❶ 파이참 왼쪽 하단에 있는 메뉴 탭에서 파이썬 패키지 버튼을 클릭한 후, ❷ 돋보기 모양의 검색창 에 openpyxl을 입력합니다. openpyxl이 나오면 ❸ 오른쪽에 있는 Install package 버튼을 누릅니다.

---

* Copy code 버튼을 클릭하면 자동으로 복사가 됩니다.

설치가 끝나면 다시 실행 버튼을 누릅니다. 터미널 화면에 요청이 성공적으로 수행되었다는 문구(Process finished with exit code 0)가 뜹니다.

요청이 성공적으로 수행되었는데, 약간 허무합니다. 엑셀 파일의 데이터를 잘 불러온 건지 눈으로 확인할 수 있으면 좋겠네요. 이때 사용하는 코드가 뭐라고 했죠? 바로 print입니다. print를 적고 괄호 안에 출력할 내용물을 넣습니다.

실행 버튼을 누르자, 터미널에 엑셀 파일의 데이터가 출력되었습니다.

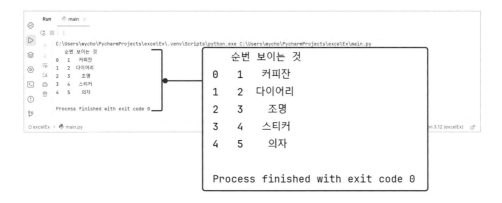

1. 에러 메시지가 너무 복잡하게 느껴집니다. 어디를 봐야 하는지 감이 오지 않아요. 생성형 AI에게 물어보는 것도 좋지만, 직접 에러 메시지를 읽을 수는 없을까요?

생성형 AI에게 물어보기 전에 직접 해석해보는 습관을 들이면 더 빠르게 프로그래밍 실력을 키울 수 있습니다. 아래 에러 메시지를 함께 보시죠.

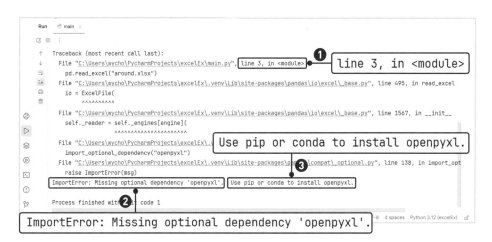

먼저, 내가 쓴 코드 중 어떤 부분에서 문제가 생겼는지를 찾아야 합니다. ❶ 에러 메시지 상단을 보면 line 3, in module이라고 적혀 있습니다. 세 번째 줄 코드는 pd.read_excel("around.xlsx")이죠. 이 코드에서 문제가 생긴 듯하네요. 어떤 문제인지는 마지막 부분에서 친절하게 알려줍니다. ❷ openpyxl이 없다고 하면서(ImportError : Missing optional dependency 'openpyxl'), ❸ 패키지 관리자인 pip나 conda를 이용해 openpyxl 모듈을 설치하라고 안내합니다(Use pip or conda to install openpyxl).

처음에는 에러 메시지가 어렵게 느껴지는 게 당연합니다. 하지만 몇 번 읽다 보면 의외로 쉽게 답을 찾을 수 있습니다.

2. 요청이 성공적으로 수행되었다는 문구(Process finished with exit code 0)와 함께 경고 메시지가 떴습니다. 이럴 때는 어떻게 해야 하나요?

코드가 정상적으로 실행되었지만, 무언가 문제가 있음을 의미합니다. 다음 상황을 대비해 문제를 해결하는 것이 좋겠죠.

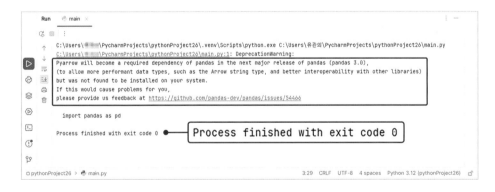

생성형 AI에게 물어보니, 지금은 잘 실행되었지만 추후에는 pyarrow라는 라이브러리가 필요할 수도 있다는 답변을 주네요. 즉, pyarrow 라이브러리를 설치하면 해결됩니다.

3. 생성형 AI에게 import와 관련해서 질문했는데, from A import a라는 코드를 알려주더라고요. 이건 무엇인가요?

import는 무언가를 불러오는 명령어입니다. 예를 들어, import pandas라고 적고 실행 버튼을 누르면 인터프리터가 판다스 패키지를 불러오죠. 그런데 판다스는 규모가 크고 기능이 많은 패키지입니다. 판다스의 기능 중에 딱 하나만 쓰고 싶은데, 전체를 불러오는 건 비효율적이겠죠? 이럴 때 쓸 수 있는 키워드가 바로 from입니다. from pandas import a라고 적으면 판다스 패키지에서 a만 불러올 수 있습니다.

두 번째 실습

파이썬을 활용하면 다양한 업무를 자동화할 수 있습니다.
두 번째 실습에서는 다운로드 폴더에 있는 여러 파일 중
설치파일만 별도로 분류하는 실습을 진행해보겠습니다.

두 번째 실습 영상 강의

두 번째 실습 관련 질문

두 번째 실습 코드

01 다운로드 폴더에 있는 파일 중 설치파일만 옮기기

저는 하루에도 수십 개의 파일을 다운로드합니다. 제 다운로드 폴더에는 다양한 파일이 쌓여 있죠. 누군가 PDF 파일은 PDF 파일대로, 설치파일은 설치파일대로 하나의 폴더에 모아주면 참 편리할 것 같습니다. 이제 파이썬에게 그 일을 시켜보겠습니다. 무작정 시작하기 전에 아래처럼 어떤 순서(흐름)로 일을 시킬지 생각해보세요.

일을 시키는 순서, 생각의 흐름!

미션 : 다운로드 폴더에 있는 여러 파일 중 설치파일(.exe)만 새로운 폴더로 옮기기

1. 다운로드 폴더는 A폴더라고 하자.
2. 조건에 맞는 파일을 옮길 새로운 폴더는 B폴더라고 하자.
3. A폴더의 모든 파일을 하나씩 살펴보려면 어떤 문법을 써야 할까?
4. 특정 확장자(.exe)가 포함된 파일을 찾는 코드가 필요하겠네.
5. 조건에 맞는 파일을 찾은 다음, A폴더에서 B폴더로 파일을 옮기려면 어떤 코드를 써야 할까?

이 생각의 흐름을 코드로 적으면 다음과 같습니다.

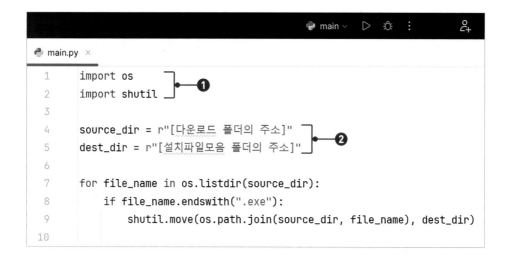

```python
1    import os           ┐
2    import shutil       ┘━━❶
3
4    source_dir = r"[다운로드 폴더의 주소]"        ┐
5    dest_dir = r"[설치파일모음 폴더의 주소]"      ┘━━❷
6
7    for file_name in os.listdir(source_dir):
8        if file_name.endswith(".exe"):
9            shutil.move(os.path.join(source_dir, file_name), dest_dir)
10
```

코드를 해석해보죠. ❶ 지금까지 배운 내용을 토대로 알 수 있는 코드는 import가 있는 위의 두 줄입니다. import는 무언가를 불러오는 키워드였죠. 첫 번째 줄에서 os를, 두 번째 줄에서 shutil을 불러오고 있습니다. os와 shutil은 파이썬 내부 패키지(# 라이브러리)에 있는 모듈입니다. 외부 패키지가 아니므로 패키지 관리자인 pip로 설치하지 않아도 바로 사용할 수 있습니다. 나머지 코드는 모르는 게 당연합니다. 이 책을 다 읽고 나면 마치 심봉사가 눈을 뜨는 것처럼 코드를 전부 해석할 수 있게 되니, 걱정하지 말고 책의 내용을 따라오세요.

두 번째 실습 시작 페이지에 있는 QR 코드에 접속해 코드를 복사한 후, 파이참 코드 입력창에 붙여넣습니다. 인터프리터가 요청을 수행하기 위해서는 ❷ 네 번째 줄에 있는 다운로드 폴더의 주소와 다섯 번째 줄에 있는 새로운 폴더의 주소를 알아야 합니다. 폴더의 주소는 독자마다 다 다르겠죠? 폴더 주소를 찾는 방법은 다음과 같습니다. (혹시 모르니, 중요한 파일은 미리 백업을 해두세요.)

01 먼저, 다운로드 폴더 주소입니다. ❶ 폴더에 마우스를 가져다대고 오른쪽 버튼을 누른 뒤, ❷ 속성을 클릭합니다. 그다음 ❸ 상단의 위치 탭을 누르면 ❹ 폴더 주소가 나옵니다. 주소를 복사해 코드 입력창 네 번째 줄에 있는 [다운로드 폴더의 주소] 부분에 붙여넣습니다.

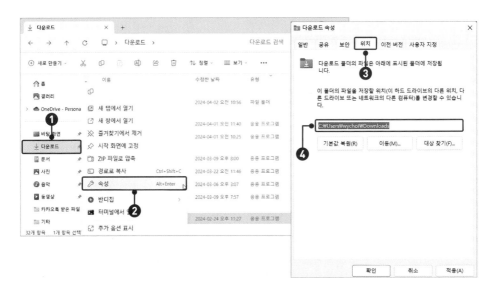

02 다운로드 폴더 안에 새로운 폴더를 만듭니다. 폴더명은 설치파일모음으로 해주세요.

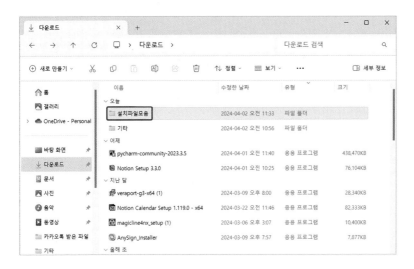

03 설치파일모음 폴더의 주소를 복사할 차례입니다. 윈도우 사용자는 설치파일모음 폴더에 들어간 후, ❶ 주소창에서 마우스 오른쪽 버튼을 클릭해 ❷ 주소 복사 버튼을 누릅니다. 맥OS 사용자는 폴더를 선택한 뒤, option 키를 누른 상태에서 ❶ 상단의 편집 탭을 누릅니다. 그다음 ❷ 경로 이름 복사 버튼을 클릭하면 주소가 복사됩니다.

실습 2-1 윈도우에서 주소를 복사하는 방법(위)과 맥OS에서 주소를 복사하는 방법(아래)

04 복사한 설치파일모음 폴더의 주소를 코드 입력창 다섯 번째 줄에 있는 [설치파일모음 폴더의 주소]에 붙여넣습니다. 저는 유저명이 wychoi여서 wychoi라고 적혀 있지만, 여러분의 폴더 경로는 모두 다를 겁니다.

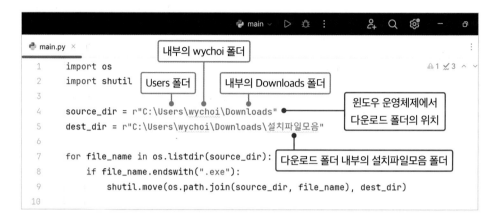

코드가 완성되었습니다. 이제 실행 버튼을 눌러주세요. 터미널에 Process finished with exit code 0 문구가 뜨면 요청이 성공적으로 수행되었다는 의미입니다.

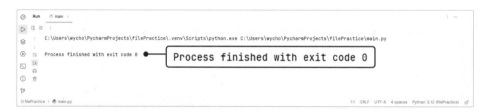

다운로드 폴더 속 설치파일모음 폴더에 들어가보면 .exe 확장자 파일이 옮겨진 모습을 확인할 수 있습니다.

1. 실습을 하고 나니 오히려 자신감이 떨어졌습니다. 왜냐하면 저는 os라는 모듈이 있는지도 몰랐고, 특정 기능을 가진 코드를 어느 위치에 넣어야 하는지도 모르겠거든요.

이런 사고의 밑바탕에는 '프로그래머(#개발자)는 모든 패키지와 문법을 다 알고 있으니 코드를 한번에 쭉 적을 수 있겠지만 나는 그렇지 않으니까 할 수가 없다'라는 생각이 깔려 있습니다. 과연 그럴까요? 프로그래머가 실제로 프로그래밍(#코딩, #개발)하는 과정을 보여드리겠습니다.

먼저, 일을 시키기 위한 순서와 생각의 흐름을 정리합니다.

1. 다운로드 폴더는 A폴더라고 하자.
2. 조건에 맞는 파일을 옮길 새로운 폴더는 B폴더라고 하자.
3. A폴더의 모든 파일을 하나씩 살펴보려면 어떤 문법을 써야 할까?
4. 특정 확장자(.exe)가 포함된 파일을 찾는 코드가 필요하겠네.

5. 조건에 맞는 파일을 찾은 다음, A폴더에서 B폴더로 파일을 옮기려면 어떤 코드를 써야 할까?

그다음 이런 유형의 일을 시키기 위해 필요한 패키지가 무엇인지 찾아봅니다. 또, 파일을 하나씩 살펴보고, 조건에 맞는 파일을 옮길 때는 어떤 문법과 코드를 써야 하는지 알아보죠. 그리고 이렇게 검색한 결과를 바탕으로 코드를 작성합니다. 보통 처음에는 에러(#오류, #버그) 메시지가 뜹니다. 그럼, 또 어디가 잘못되었는지 검색해보고 코드를 수정하죠. 이렇게 필요한 정보를 찾고, 코드를 작성하고, 에러 메시지를 수정하는 과정을 수없이 반복하며 결국 제대로 동작하는 코드를 완성합니다.

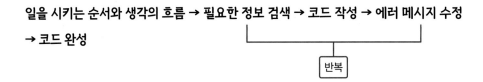

일을 시키는 순서와 생각의 흐름 → 필요한 정보 검색 → 코드 작성 → 에러 메시지 수정 → 코드 완성

프로그래머도 코드를 처음 만들 때만큼은 여러분과 크게 다르지 않습니다. 다른 점이 있다면 검색 노하우가 많다는 점과 이미 경험해본 코드가 나왔을 때 검색 없이 곧바로 작성할 수 있다는 점 정도일 것입니다. 다행히 지금은 생성형 AI가 있어서 검색 시간을 크게 단축할 수 있습니다. 조금 전 실습을 생성형 AI에게 물어보자 다음과 같은 답변을 주었습니다.

You
파이썬을 이용해서 A폴더에 있는 .exe 파일을 B폴더로 옮기려고 해.
알맞은 코드를 작성해줘.

ChatGPT

```python
import shutil
import os

# A 폴더와 B 폴더의 경로 설정
folder_A = '경로를_입력하세요'  # A 폴더의 경로
folder_B = '경로를_입력하세요'  # B 폴더의 경로

# A 폴더에서 .exe 파일을 찾아 B 폴더로 이동
for filename in os.listdir(folder_A):
    if filename.endswith(".exe"):
        shutil.move(os.path.join(folder_A, filename), os.path.join(folder_B, filename
```

위 코드에서 '경로를_입력하세요' 부분에는 각각 A 폴더와 B 폴더의 실제 경로를 입력해야 합니다. 이 코드를 실행하면 A 폴더에서 .exe 파일을 찾아 B 폴더로 이동시킬 수 있습니다.

물론, 생성형 AI가 항상 정답을 알려주는 건 아니기에 위 코드가 제대로 동작하지 않을 수도 있습니다. 그럼 코드가 동작하지 않는 이유를 물어보고 수정하면 됩니다. 이렇게 코드를 작성하고 수정하는 과정을 통해 실력을 한층 키울 수 있습니다.

2. 실습을 할 때마다 새로운 프로젝트 폴더(New Project)를 만들었는데, 지난번에 만들었던 프로젝트 폴더는 어디에서 볼 수 있을까요?

파이참 왼쪽 상단에 프로젝트의 이름이 쓰여 있습니다. ❶ 프로젝트 이름을 클릭하면 ❷ 지금까지 만든 프로젝트 폴더를 볼 수 있습니다.

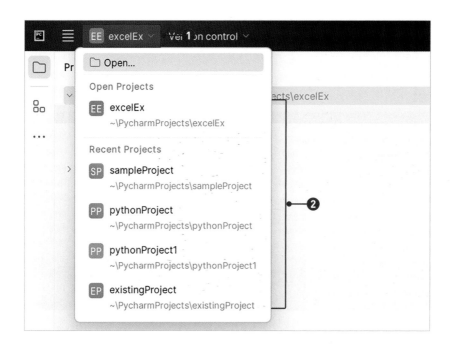

목록에서 프로젝트 폴더를 선택하면 아래와 같은 창이 뜹니다. 프로젝트 파일을 현재 보고 있는 화면에서 열지, 새로운 화면에서 열지 선택하는 옵션입니다. 이때, Don't ask again 왼쪽 박스에 체크하면 더 이상 선택 창이 뜨지 않고, 마지막에 선택한 옵션으로 프로젝트 파일이 열립니다.

3. 프로젝트 폴더 삭제는 어떻게 하나요?

❶ 파이참 왼쪽 상단의 프로젝트 폴더에 마우스를 가져다대고 오른쪽 버튼을 클릭합니다.
새로운 메뉴가 열리면 ❷ Open In과 ❸ Exlporer 버튼을 순서대로 눌러주세요.

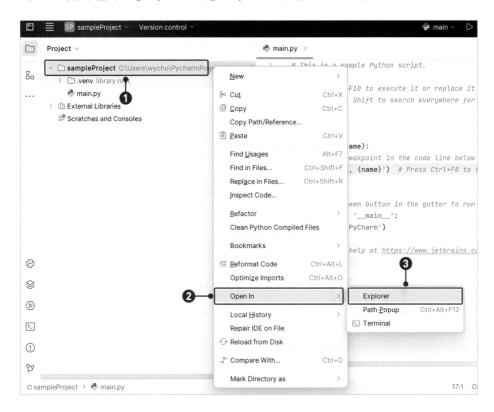

프로젝트 폴더가 모여 있는 상위 폴더가 열렸습니다. 여기서 원하는 폴더를 삭제할 수 있습니다. 단, 파이참에 프로젝트가 열려 있으면 삭제가 되지 않으니 그 전에 프로젝트를 종료해야 합니다.

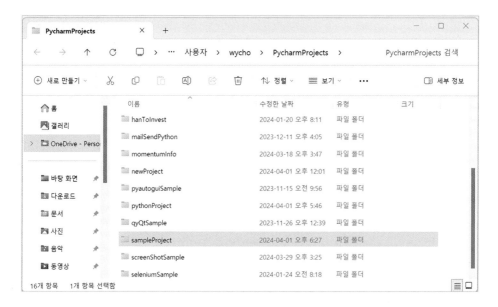

4. 분명 지난번에 설치한 패키지였는데, 실습을 할 때마다 다시 설치하라고 합니다. 이유가 무엇인가요?

프로젝트 폴더를 생성하면 그 안에 가상환경 폴더가 만들어집니다. 우리가 설치한 패키지는 이 가상환경 폴더 안에 다운로드되죠. 이다음에 새로운 프로젝트 폴더를 생성하면 또, 새로운 가상환경 폴더가 만들어집니다. 그리고 그 안에는 이전에 설치한 패키지가 없습니다. 즉, 새롭게 다운로드해야 합니다. 만약 이전에 다운로드한 패키지를 그대로 사용하고 싶다면 새로운 프로젝트 폴더를 만들지 말고 이전 프로젝트 폴더를 열어야 합니다.

실습 2-2 새로운 가상환경 폴더에는 이전에 설치한 패키지가 들어 있지 않다.

컴퓨터가 데이터를 이해하는 방식, 자료형

컴퓨터는 우리와 다른 방식으로 세상을 인식합니다.
우리가 보는 책상과 의자도 컴퓨터에게는 0과 1로 이루어진 데이터죠.
컴퓨터와 효율적으로 일하기 위해서는 데이터를 분류해서 알려주어야 합니다.
이번 장에서는 데이터를 유형별로 구분하는 체계인 자료형을 배워보겠습니다.

4장 영상 강의

4장 관련 질문

자료형이란 무엇일까?

쇼핑몰 홈페이지를 떠올려보죠. 그 안에는 쇼핑몰 이름부터 옷 이름, 가격, 구매 날짜, 아이디, 각종 리뷰 정보 등 여러 가지 데이터가 있습니다. 우리는 직관적으로 무엇이 옷 이름이고, 무엇이 가격인지를 바로 알 수 있지만 컴퓨터는 그런 능력이 없습니다. 그래서 사람들은 컴퓨터가 데이터를 유형별로 구분할 수 있도록 체계를 만들었습니다. 이러한 체계를 자료형(#타입, #type)이라고 합니다.

데이터를 구분해서 알려주면 어떤 점이 좋을까요? 컴퓨터는 용량이 정해져 있습니다. 용량을 넘어서면 아무것도 할 수 없죠. 예를 들어, A데이터는 10만큼의 공간이 필요하고 B데이터는 1만큼의 공간이 필요한데, 컴퓨터가 데이터의 유형에 관계없이 무조건 10만큼의 공간을 할당하면 엄청난 비효율이 발생합니다. 데이터를 분류해서 알려준다는 건 각 데이터별로 필요한 공간만큼만 할당하는 것과 같습니다. 이렇게 용량을 줄이면 실행 속도가 빨라지므로 일석이조의 효과가 있습니다.

파이썬에서 빈번하게 사용하는 여섯 가지의 자료형은 아래와 같습니다. 이중 4장에서는 문자(str), 정수(int), 실수(float), 참/거짓(bool) 이렇게 네 가지를 배웁니다.

그림 4-1 자주 쓰이는 여섯 가지 자료형

먼저, 문자입니다. 파이썬에게 이 데이터가 문자라는 것을 알려주려면 큰따옴표(" ")나 작은따옴표(' ')를 적고 그 안에 데이터를 넣으면 됩니다. 그럼 10이나 -2처럼 겉보기에는 숫자이더라도 파이썬은 이를 문자로 인식합니다. 첫 번째 실습 코드를 다시 볼까요? ❶ 괄호 안의 데이터가 문자임을 알려주고자 큰따옴표를 넣었습니다. 문자는 영어로 스트링(string)이라고 부르며, 줄여서 str로도 씁니다.

```
                              🐍 main ∨   ▷  ⚙  ⋮

🐍 main.py  ×

   1        import pandas as pd
   2
   3        pd.read_excel("around.xlsx")
   4                          ❶
```

그림 4-2 코드에 큰따옴표를 넣어 해당 데이터가 문자임을 알려주는 모습

다음은 정수와 실수입니다. 큰따옴표나 작은따옴표가 없는 상태로 숫자를 적으면 파이썬은 해당 데이터를 숫자(정수/실수)로 인식합니다. 정수는 소수점을 가지지 않는 숫자입니다. 인티저(integer)라고 부르며, 줄여서 int라고 씁니다. 실수는 소수점을 가지는 숫자로, 플로트(float)라고 합니다. 우리에게 2와 2.0은 같은 값의 숫자이지만, 소수점의 유무에 따라 데이터를 다르게 처리하는 컴퓨터는 이 둘을 구분합니다. 프로그래밍(#코딩, #개발)을 할 때 정수와 실수를 구분해서 쓰는 이유입니다.

마지막은 참/거짓입니다. 프로그래밍은 논리가 필요한 작업입니다. 참이면 이런 동작으로, 거짓이면 저런 동작으로 나뉘는 경우가 많죠. 앞·뒤로 따옴표가 없는 상태에서 True라고 적으면 파이썬은 이걸 참으로 인식합니다. 반대로 False라고 적으면 거짓으로 인식하죠. 이때 첫 글자는 반드시 대문자여야 합니다. 참/거짓은 영어로 불리언(boolean)이라고 하며, 줄여서 bool이라고 씁니다.

문자, 정수, 실수, 참/거짓 자료형을 표로 정리하면 아래와 같습니다.

문자(#str)	정수(#int)	실수(#float)	참/거짓(#bool)
이 데이터는 문자야!	이 데이터는 소수점이 없는 숫자야!	이 데이터는 소수점이 있는 숫자야!	이 데이터는 참 or 거짓이야!
"큰따옴표"나 '작은따옴표'로 표현	따옴표 없이 숫자 표기	따옴표 없이 숫자 표기	True or False라고 표현 (첫 글자 대문자)

표 4-1 네 가지 자료형의 구분

이렇게 자료형을 알아두면 같아 보이는 데이터도 실은 다르다는 것을 한눈에 파악할 수 있습니다.

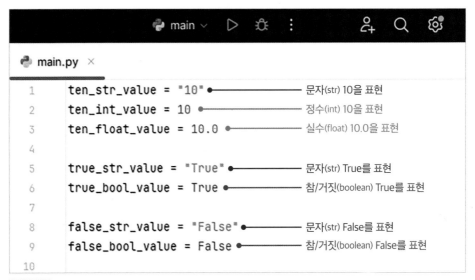

그림 4-3 데이터를 여러 가지 자료형으로 표현한 모습

특정 데이터의 자료형을 알
고 싶을 때는 코드 입력창에
type을 적고, 소괄호( ) 안에
확인하려는 데이터를 넣습
니다.

다만, 이 상태에서 실행 버튼을 누르면 터미널에 요청이 성공적으로 수행되었다는
문구(Process finished with exit code 0)만 나오고 끝납니다. 터미널에서 결과를 확인할
수 있으면 더 좋겠죠?

터미널에 결과를 출력하는 코드는 print입니다. print의 괄호 안에 출력하려는 내용
을 넣고 실행 버튼을 누르면 터미널에서 결과를 확인할 수 있습니다.

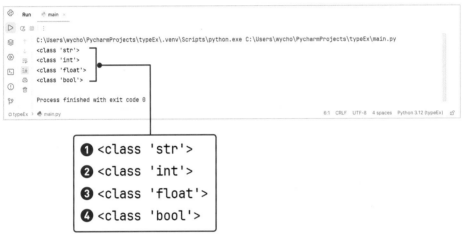

코드 입력창 ❶ 첫 번째 줄에 있는 "10"의 자료형은 str입니다. str은 문자를 나타냈죠. ❷ 두 번째 줄에 있는 10의 자료형은 int, 즉 정수입니다. ❸ 세 번째 줄에 있는 10.0의 자료형은 float, 실수입니다. ❹ 네 번째 줄에 있는 True의 자료형은 bool 즉, 참/거짓입니다. 자료형 앞에 있는 class가 무엇인지는 7장 객체지향 프로그래밍에서 자세히 배웁니다.

생성형 AI 없었으면
어쩔 뻔...

걱정이 많은
편집자

실습을 할 때 문자 자료형을 표현
하는 큰따옴표나 작은따옴표 부
분에서 오류가 자주 발생했습니
다. 예를 들어, 워드 파일에 있는
type("10")을 복사해서 코드 입력
창에 붙여넣으면, 따옴표 부분에

그림 4-4 따옴표에 그어진 빨간색 밑줄

빨간색 밑줄이 뜨고, 이 상태에서 실행 버튼을 누르면 터미널에 에러(#오류, #버그) 메시지가
나타났죠.

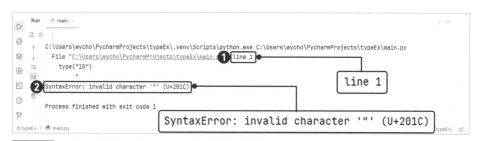

그림 4-5 실행 버튼을 눌렀을 때 터미널에 뜨는 에러 메시지

생성형 AI에게 질문하기 전에 스스로 에러 메시지를 해석해보기로 했습니다. ❶ line 1을 보니, 첫 번째 줄에 있는 type("10")에서 문제가 생긴 것 같네요. (코드가 한 줄이라서 당연히 첫 번째 줄이겠지만…) 어떤 문제인지는 그 아랫줄에서 찾을 수 있었습니다. ❷ SyntaxError: invalid character '"' (U+201C)를 번역해보니 '구문 오류: 유효하지 않은 문자'라는 의미입니다. 무엇이 문제인지 몰라 에러 메시지를 복사한 다음, 생성형 AI에게 물어보았습니다. 그러자 아래처럼 답변을 주었습니다.

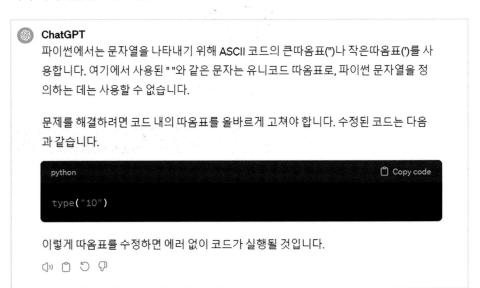

워드 파일의 따옴표가 유니코드 방식이어서 발생한 문제였네요. 생성형 AI가 알려준 코드를 복사해서 실행 버튼을 누르니 요청이 성공적으로 수행되었습니다(Process finished with exit code 0).

문제는 해결했지만, 생성형 AI의 답변 중 유니코드와 ASCII가 궁금해서 다시 생성형 AI에게 질문을 했습니다. 그러자 다음과 같이 답변을 주었습니다.

ChatGPT

ASCII와 유니코드는 컴퓨터에서 문자를 표현하는 두 가지 다른 방식입니다.

ASCII는 American Standard Code for Information Interchange의 약자로 영문 알파벳(대문자와 소문자), 숫자, 특수문자, 제어문자를 포함해 128개의 서로 다른 문자를 표현할 수 있습니다. 주로 영어와 기타 서구 언어를 지원하기 위해 설계되었습니다.

반면 유니코드(Unicode)는 전 세계의 모든 문자를 포함하도록 설계된 국제 표준으로, ASCII를 비롯해 수만 개의 다른 문자들을 지원합니다. 다양한 언어의 문자뿐 아니라 수학기호, 이모티콘 등을 포함할 수 있습니다.

결론적으로 ASCII는 제한된 수의 문자만 표현할 수 있지만 유니코드는 광범위한 문자를 지원할 수 있어 다국어 처리에 유용합니다.

생성형 AI와 대화를 주고받으면서 컴퓨터 세계에는 인간의 문자를 표현하는 여러 방식이 있고, 그 방식의 차이로 에러가 발생했다는 것을 알게 되었습니다. 그리고 생성형 AI가 등장한 지금이 파이썬을 배우기 제일 좋은 시기라는 말에도 공감이 갔습니다.

제5장

변수와 연산자

코드를 작성하다 보면 반복되는 데이터가 생기기 마련입니다.

그런데 반복되는 데이터를 일일히 적으려니 번거롭습니다.

이번 장에서는 데이터를 담아놓는 상자의 역할을 하는 변수와

다양한 연산자를 공부합니다.

5장 영상 강의

5장 관련 질문

01 변수란 무엇일까?

데이터를 담아놓는 상자, 변수

두 번째 실습에서 다뤘던 코드를 다시 보죠. ❶ = 기호가 보입니다.

```python
import os
import shutil

source_dir = r"C:\Users\wychoi\Downloads"
dest_dir = r"C:\Users\wychoi\Downloads\설치파일모음"

for file_name in os.listdir(source_dir):
    if file_name.endswith(".exe"):
        shutil.move(os.path.join(source_dir, file_name), dest_dir)
```

❷ = 왼쪽에 있는 것을 변수라고 합니다. 수학에서 변수는 '변하는 수'를 뜻하죠. 반면 프로그래밍에서는 변수를 무언가를 담는 상자의 개념으로 사용합니다. 위 코드에서도 폴더 주소를 각각 source_dir과 dest_dir이라는 상자에 담아서 사용했습니다(그림 5-1 참조).

데이터를 상자에 담으면 어떤 점이 좋을까요? 지금은 코드가 짧지만 실전에서는 10,000줄 이상으로 길어질 수 있습니다. 전체 코드에서 폴더의 주소가 100번 나온다면, 매번 r"C:\Users\wychoi\Downloads"를 적어줘야 합니다. 하지만 상자에 담으면 폴더 주소를 직접 적지 않고, 상자 이름으로 대체할 수 있습니다. ❸ 위 코드에서도 폴더

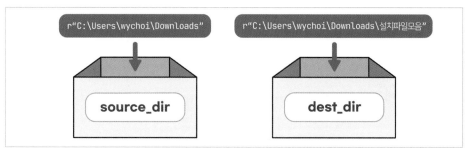

그림 5-1 폴더 주소를 상자에 담고 상자의 이름을 각각 source_dir, dest_dir로 지었다.

주소를 상자에 담은 후부터는 폴더 주소 대신 상자 이름을 적은 것을 볼 수 있습니다. 그리고 무엇보다 수정이 편리합니다. 100곳에 폴더 주소를 적었는데 주소가 wychoi 에서 kbpark으로 변경되면 100곳을 전부 수정해야 합니다. 하지만 폴더의 주소를 상자에 담고, 코드에 상자 이름을 적어주면 주소를 일일이 바꿀 필요 없이 ❹ 상자 속 에 담긴 주소만 딱 한 번 바꿔주면 됩니다.

이렇게 데이터를 상자에 담는 것을 '변수를 지정한다' 혹은 '변수에 담는다'라고 표현 하고, 상자의 이름을 변수명이라고 합니다. 변수는 위에서 설명한 목적 외에도 여러 목적으로 활용되는데요, 아직 코드 작성이 익숙지 않은 우리는 이 정도의 개념만 알 고 있어도 충분합니다.

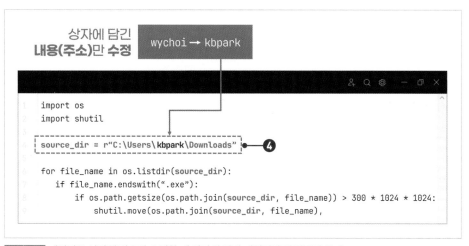

그림 5-2 데이터를 상자에 담으면 수정할 때 상자에 담긴 데이터만 바꿔주면 된다.

상자 이름, 즉 변수명은 사용자가 자유롭게 정할 수 있습니다. 다만, 한글로 지으면 일부 패키지에서 오류가 발생할 수 있어 주로 영문을 사용합니다. 그렇다고 변수명을 aaa라고 지으면 해당 변수에 어떤 내용이 들어 있는지 알 수가 없겠죠? 따라서 변수명에는 의미를 담는 것이 좋습니다. 단, 변수명을 지을 때 지켜야 할 몇 가지 규칙이 있습니다.

먼저, 변수명에는 공백이 없어야 합니다. 그런데 단어와 단어를 쭉 붙여 쓰면 가독성이 떨어집니다. 공백 없이 단어와 단어 사이를 구분해서 표기하는 방법은 크게 두 가지로 나뉩니다. 첫 번째는 단어 사이에 언더바(_)를 넣는 언더바 표기법(Snake Case)입니다. 앞에서 사용한 source_dir, dest_dir 같은 변수명이 여기에 해당합니다. 두 번째는 새로운 단어의 첫 글자를 대문자로 표기하는 카멜 표기법(Camel Case)입니다. 대문자가 등장할 때 위로 불쑥 솟은 모습이 낙타의 등을 닮아, 낙타를 뜻하는 카멜이라는 이름이 붙었습니다.

언더바 표기법: file_size

카멜 표기법: fileSize

또, 파이썬은 대소문자를 구분합니다. 즉, cat, Cat, cAt, caT, CAt, cAT, CAT을 모두 다른 변수명으로 인식합니다. 그리고 변수명은 숫자로 시작할 수 없습니다. cat1은 되지만, 1cat은 안 됩니다. 마지막으로 파이썬에서 먼저 찜한 문자열, 예를 들면 패키지(#라이브러리)를 불러오는 import와 같은 키워드는 변수명으로 쓸 수 없습니다.

02 연산자의 이해

수학에서 = 기호는 '같다'라는 의미입니다. 기호의 앞·뒤가 같음을 나타내는 일종의 선언이죠. 그런데 우리는 컴퓨터에게 일을 시키기 위해 프로그래밍(#코딩, #개발)을 합니다. 무언가를 지시하려면 선언이 아니라 명령을 해야 합니다. 이런 이유로 파이썬에서는 = 을 '같다'가 아닌 '할당하라'의 의미로 사용합니다.

할당할 때는 순서가 중요합니다. = 을 기준으로 오른쪽에 있는 것을 왼쪽에 할당합니다. 따라서 아래 코드를 해석하면 r"C:\Users\wychoi\Downloads"을 source_dir에 할당하라는 의미가 됩니다.

프로그래밍 세계에서 = 와 같은 것들을 연산자라고 합니다. 우리는 이미 연산자를 몇 개 알고 있습니다. 대표적인 것이 바로 덧셈(+), 뺄셈(-), 곱셈(*), 나눗셈(/) 같은 사칙연산이죠. 또, 두 개 혹은 그 이상을 비교하는 비교연산자도 있습니다.

A와 B가 같은지 물어볼 때는 A==B라고 씁니다.
A와 B가 다른지 물어볼 때는 A!=B라고 씁니다.
A가 B보다 큰지 물어볼 때는 A>B, 작은지 물어볼 때는 A<B라고 씁니다.

A가 B보다 크거나 같은지 물어볼 때는 A >=B, A가 B보다 작거나 같은지 물어볼 때는 A <=B라고 씁니다.*

비교연산자의 결괏값은 언제나 True 혹은 False로 나옵니다. 즉, 참/거짓(bool) 자료형(#타입)의 형태입니다.

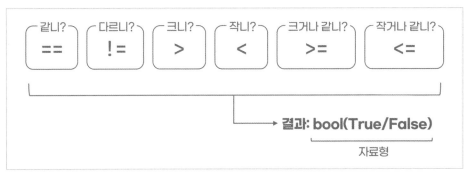

그림 5-3 결괏값이 bool 타입으로 나오는 비교연산자

앞서 소개한 연산자 외에도 다양한 연산자가 있습니다. 예를 들면 %, &, ^, is, and, or, not 등이 있죠. 이 모든 연산자를 다 외워야 할까요? 당연히 아닙니다. 책에서 다룬 기본 연산자 정도만 알아두고, 새로운 연산자를 만나면 그때 찾아보면 됩니다.

---

* 연산자 앞·뒤에는 공백이 있어도 되고, 없어도 됩니다. 하지만 한쪽에 공백이 있다면(ex. A== B) 다른 곳도 통일해주는 것이 가독성 측면에서 더 좋습니다(ex. A == B).

이럴 땐
어떻게 해야 하지?

걱정이 많은
편집자

1. 문자(str) 자료형은 큰따옴표(" ") 혹은 작은따옴표(' ')로 표현한다고 하셨는데요, 자료형을 표현하는 용도가 아닌, 따옴표 자체를 터미널에 출력하려면 어떻게 해야 하나요?

아래처럼 따옴표가 들어 있는 문장을 터미널에 그대로 출력해야 하는 상황이네요.

그는 "파이썬을 배우세요."라고 말했다.

문자 자료형을 표현하기 위해 문장 앞·뒤에 큰따옴표를 적고, 실행 버튼을 누르면 에러(#오류, #버그)가 발생합니다. 파이썬이 어디까지가 문자 자료형을 뜻하는 큰따옴표인지 구분할 수 없기 때문입니다.

이럴 때 필요한 것이 바로 이스케이프(Escape) 문자입니다. Escape는 '탈출'이라는 뜻이죠. 즉, 이스케이프 문자는 규칙에서 벗어나는 상황을 표현하고 싶을 때 사용합니다. 역슬래시 (\) 뒤에 기호를 적으면 이스케이프 문자가 됩니다. 예를 들어, 아래 이미지처럼 역슬래시(\) 다음에 큰따옴표를 적으면 문자 자료형 안에서 큰따옴표를 쓸 수 있습니다.

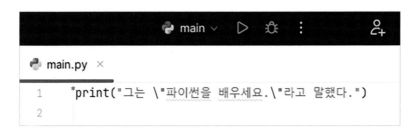

---

*   터미널에서 확인할 수 있도록 print를 함께 써주었습니다.

역슬래시(\) 뒤에 n을 적으면 줄바꿈도 가능합니다.

단, 폴더와 파일의 주소에서 사용할 때는 주의가 필요합니다. 일부 주소에서는 아래처럼 역슬래시(\) 다음에 n이 나올 수 있습니다. 이대로 출력하면 파이썬이 \n을 이스케이프 문자로 인식해 자동으로 줄바꿈을 하죠.

C:\new_project.xlsx

이때, 파이썬에게 역슬래시(\)를 있는 그대로 인식하라고 요청하는 접두사가 있으니, 바로 r입니다. 큰따옴표 앞에 r을 적으면 파이썬이 큰따옴표 안에 있는 모든 내용을 문자로 인식해 줄바꿈 없이 터미널에 출력합니다.

사실, 우리는 이미 접두사 r을 본 적이 있습니다. 두 번째 실습 코드를 보면, 폴더의 주소가
문자라는 것을 알려주기 위해 앞·뒤로 큰따옴표를 넣었고, 주소에 있는 역슬래시(\)를 있는
그대로 인식시키고자 큰따옴표 앞에 r을 쓴 것을 볼 수 있습니다.

```python
import os
import shutil

source_dir = r"C:\Users\wychoi\Downloads"
dest_dir = r"C:\Users\wychoi\Downloads\설치파일모음"

for file_name in os.listdir(source_dir):
    if file_name.endswith(".exe"):
        shutil.move(os.path.join(source_dir, file_name), dest_dir)
```

마지막으로, 역슬래시(\) 자판은 어디에 있을까요? 키보드 오른쪽 상단의 원화(₩) 자판을
누르면 역슬래시(\)가 표시됩니다. 다만, 이는 영문 폰트일 때만 해당하고, 한글 폰트에서는
원화(₩) 기호가 나옵니다. 파이참의 기본 폰트는 영문이므로 파이참에서 역슬래시(\)를 쓸
때는 원화(₩) 자판을 누르면 됩니다.

제6장

기능을 수행하는
코드를 담고 있는 함수

프로그래머에게는 수정하기 쉬운 코드,
유지보수하기 쉬운 코드를 만드는 것이 무엇보다 중요합니다.
이때, 코드의 반복을 없애고 유지보수를 쉽게 만들어주는
도구가 있으니 바로, 함수입니다.
이번 장에서는 함수의 개념을 자세히 공부합니다.

6장 영상 강의

6장 관련 질문

6장 코드

01 반복되는 코드, 어떻게 해결할까?

프로그래밍(#코딩, #개발)을 할 때 가장 조심해야 하는 것은 동일한 기능을 가진 코드를 여러 번 적는 것입니다. 예를 들어, 아래처럼 A기능을 구현하는 코드가 총 1,000곳에 적혀 있다면 A기능을 업데이트할 때마다 1,000곳을 모두 수정해줘야 합니다. 생각만 해도 머리가 아프네요.

```
1    코드
2    코드
3    코드
4    A기능 코드
5    코드
6    코드
7    A기능 코드
8    코드
9    A기능 코드
10   코드
     ⋮
```

앞에서 우리는 이와 비슷한 상황에 대처할 수 있는 방법을 배웠습니다. 바로, 반복되는 데이터를 변수에 담는 것이었죠. 예를 들어, 폴더의 주소를 변수에 담아두면 주소가 바뀌었을 때 변수 안에 담긴 주소만 바꾸면 되므로 매우 편리했습니다. 그렇다면

A기능도 변수에 담으면 되지 않을까요? 안타깝게도 파이썬에서는 변수에 데이터만 담을 수 있습니다. 기능을 구현하는 코드에는 여러 데이터와 연산이 복잡하게 들어 있어 변수에 담는 것이 불가능합니다.

다행히 이 문제는 함수로 해결이 가능합니다. 원리는 변수와 비슷합니다. 먼저, A기능을 구현하는 코드를 함수로 만들고, A기능 코드 대신 이 함수를 적습니다. 그럼 나중에 코드를 수정해야 할 때, 함수에 담긴 코드만 바꾸면 되므로 수정이 편해집니다.

이처럼 함수를 사용하면 코드를 반복적으로 쓰지 않고, 수정도 쉽게 할 수 있습니다. 그럼 지금부터 함수의 개념을 알아보고, 함수를 만드는 방법을 배워보겠습니다.

02 함수란 무엇일까?

1 특정한 기능을 수행하는 코드

아래 이미지에는 a의 자료형(#타입)을 알아내는 코드가 적혀 있습니다. 이 코드를 실행하면 a의 자료형을 알 수 있습니다. 사실 자료형을 알아내기 위해서는 좀 더 복잡한 과정이 필요합니다. 매개변수를 분석하는 코드, 자료형을 찾는 코드 등 여러 코드가 있어야 하죠. 하지만 사용자는 type( ) 한 줄만 씁니다.

왜일까요? type에는 이러한 기능을 수행하는 코드들이 이미 들어 있기 때문입니다. 덕분에 사용자는 복잡한 코드 없이도 원하는 기능을 구현할 수 있습니다. 이렇게 특정한 기능을 수행하는 코드의 집합을 함수라고 합니다. 그런데 함수는 수학 용어입니다. 프로그래밍에서 왜 수학 용어인 함수를 사용하는 것일까요?

❶ 아래 함수를 볼까요? f(x)의 x값, 즉 괄호 안에 숫자를 넣으면 특정한 수식을 수행한 후 결괏값이 나옵니다. 예를 들어, x에 3을 넣으면 x+1을 수행한 다음, 4라는 결괏값이 나오죠.

❶ f(x) = x +1   ❷ type( )

❷ 이번에는 type( )입니다. 괄호 안에 데이터를 넣으면 특정한 코드를 수행한 후 결괏값이 나옵니다. 예를 들어, 괄호 안에 문자 'a'를 넣으면 자료형을 파악하는 코드를 수행한 다음, 〈class 'str'〉이라는 결괏값이 나오죠. 수학의 함수와 구조가 비슷하죠? 이런 이유로 프로그래밍에서도 함수라는 용어를 사용하고 있습니다.

함수의 괄호 안에 들어가는 데이터를 매개변수(#파라미터, #인수, #인자, #argument)*라고 합니다. 그리고 매개변수를 넣어 출력된 값을 수학에서는 결괏값, 프로그래밍에서는 리턴값(#결괏값, #반환값)이라고 하죠.

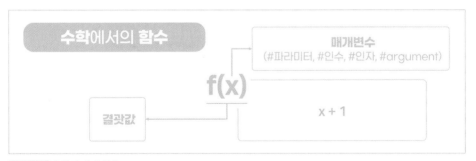

그림 6-1 수학에서의 함수

---

* 매개변수(파라미터)와 인수(인자)는 비슷하지만 서로 다른 개념입니다. 다만, 우리는 실용적인 배움을 목표로 하기에 세세하게 구분하지 않았습니다.

그림 6-2 프로그래밍에서의 함수

함수를 사용하려면 몇 가지 규칙을 지켜야 합니다. 그림 6-3을 봐주세요. 먼저, 함수 이름은 소문자로 시작합니다. 그리고 함수 이름 옆에 소괄호를 적고, 그 안에 매개변수를 넣습니다. 즉, 이 구조를 보게 된다면 '이 코드는 함수구나!'라는 생각을 할 수 있어야 합니다. 함수는 기능이고, 기능에 필요한 데이터를 괄호 안에 넣는다고 이해하면 쉽습니다.

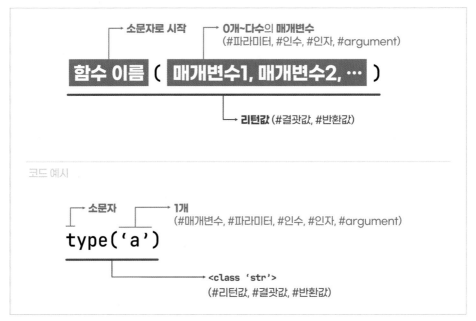

그림 6-3 함수의 사용 규칙

첫 번째 실습의 코드를 다시 봅시다. 어떤 코드가 함수일까요?

정답은 read_excel입니다. 파이썬에 엑셀 파일의 데이터를 불러오는 기능이었죠. 원래는 수많은 코드를 적어야 하지만, read_excel 함수 안에 필요한 코드가 다 들어 있어 복잡한 코드 없이도 파이썬에서 엑셀 파일의 데이터를 읽을 수 있습니다.

소괄호 안에는 함수의 매개변수를 넣습니다. 이때, 함수마다 넣는 매개변수의 자료형이 다릅니다. 정해진 자료형의 데이터가 아니면 에러(#오류, #버그)가 발생하죠. read_excel 함수는 엑셀 파일의 이름(경로)을 문자(str) 자료형의 형태로 받습니다. 위 코드에서도 파일 이름인 around.xlsx와 문자 자료형을 표현하는 큰따옴표가 합쳐진 "around.xlsx"이 매개변수로 들어간 것을 볼 수 있습니다.

03 함수를 만드는 방법

1 함수를 만들고 사용해보기

함수는 직접 만들어서 쓸 수도 있습니다. 만드는 규칙은 다음과 같습니다. 그림 6-4를 함께 봐주세요. 먼저, 코드에 함수를 정의하는 키워드인 def를 적고, 옆에 함수 이름을 씁니다. 그다음 소괄호 안에 매개변수를 넣고, 콜론(:)을 적습니다. 엔터를 누르면 탭(Tab)만큼 들여쓰기가 되면서 다음 줄이 시작됩니다. 이 줄에는 기능을 수행할 코드, 즉 함수의 내용이 들어갑니다. 내용은 한 줄이 될 수도 있고, 여러 줄이 될 수도 있습니다. 만약 리턴하고 싶은 데이터가 있다면 한 줄 내려서 return을 적고, 그 옆에 리턴하고 싶은 데이터를 적습니다.

그림 6-4 함수를 만드는 방법

연습을 해보겠습니다. 파이참을 열고 코드 입력창에 아래 코드를 적습니다. 코드를 해석해볼까요?

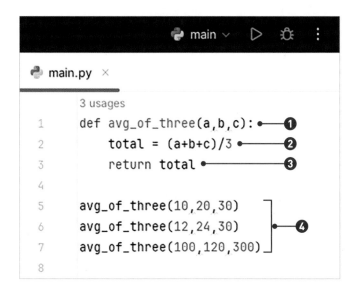

❶ 첫 번째 줄에는 함수를 정의하는 키워드인 def와 그 옆에 함수 이름인 avg_of_three를 적어주었습니다. 소괄호 안에는 a, b, c 이렇게 세 개의 매개변수가 들어갔네요. 마지막에는 콜론(:)이 있습니다. 이 상태에서 엔터를 누르면 탭(Tab)만큼 들여쓰기가 되면서 다음 줄이 시작됩니다.

❷ 두 번째 줄은 요청을 수행할 코드입니다. a, b, c를 더한 다음, 3으로 나누어주었습니다. 그리고 이 값을 변수 total에 담았습니다.

❸ 세 번째 줄에는 return을 적고, 그 옆에 리턴하고 싶은 데이터, 변수 total을 적었습니다. 이렇게 함수를 만들어두면 그 아래에서 언제든 함수를 이용할 수 있습니다.

❹ 예를 들어, avg_of_three(10, 20, 30)이라고 적으면 10, 20, 30을 더한 후, 3으로 나눈 값이 자동으로 계산됩니다. 함수의 매개변수 자리에 원하는 숫자를 적고, 실행 버튼을 누릅니다.

그런데 터미널에 요청이 성공적으로 수행되었다는 문구(Process finished with exit code 0)만 있고 결과가 나오질 않네요.

❶ print를 적고 괄호 안에 출력할 데이터를 넣은 후, 다시 실행 버튼을 누릅니다.

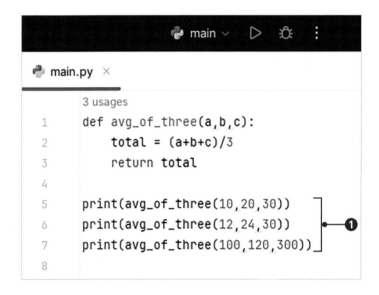

세 개의 매개변수를 모두 더한 다음, 3으로 나눈 값이 터미널에 출력되었습니다.

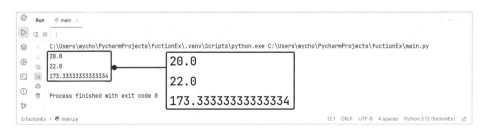

앞의 함수에서는 세 개의 매개변수를 사용했지만, 사실 매개변수의 개수는 함수마다 다릅니다. 하나일 수도 있고 두 개 이상일 수도 있고 없을 수도 있죠. 단, 함수를 이용할 때는 정해진 매개변수의 숫자만큼 데이터를 넣어줘야 합니다. ❶ 왼쪽 이미지의 함수는 매개변수가 두 개입니다. ❷ 그래서 데이터도 두 개(10, 5)가 들어갔죠. ❸ 반면, 오른쪽 이미지의 함수는 매개변수가 세 개여서 ❹ 세 개의 데이터(10, 20, 30)가 들어갔습니다.

그림 6-5 매개변수의 수만큼 데이터를 넣어줘야 한다.

또, 함수마다 사용하는 매개변수의 자료형이 정해져 있습니다. 문자 자료형을 매개변수로 받는 함수가 있고, 문자와 숫자 자료형을 받는 함수도 있죠. 따라서 함수를 쓸 때는 어떤 매개변수를 사용하는지 그 양식까지 함께 파악해야 합니다.

지금까지 함수에 대해 알아보았습니다. 파이썬에는 굉장히 많은 함수들이 있습니다. 함수에는 특정한 기능을 수행하는 코드가 담겨 있다고 했죠? 즉, 파이썬에 있는 함수들을 활용하면 복잡한 코드를 적지 않고도 다양한 기능을 쓸 수 있습니다. 기초를 배우는 우리는 함수를 직접 만들어서 쓰는 것보다는 이미 만들어진 함수를 잘 쓰는 것이 먼저입니다. 함수를 잘 사용하는 방법은 7장 객체지향 프로그래밍에서 함께 설명드리겠습니다.

여기서 잠깐! 편집자의 에러 노트

1. 함수를 사용할 때 코드 상단에 뜨는 '1 usage', '3 usages'는 무엇인가요?

코드에 함수가 몇 번 쓰였는지를 나타내는 파이참의 기능입니다. ❶ 아래 왼쪽 이미지에서는 한 번 쓰였으므로 1 usage, ❷ 오른쪽 이미지에서는 세 번 쓰였으므로 3 usages라고 나타낸 것이죠.

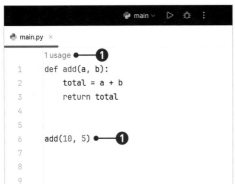

코드가 길고 복잡해지면 어디에서 함수를 썼는지 찾기가 어렵습니다. 이때, 3 usage라고 쓰인 부분을 마우스로 클릭하면 해당 함수가 코드의 어느 부분에서 쓰였는지 찾아주는 창이 뜹니다. 워드 문서에서 Ctrl + F를 눌러 특정 단어를 찾는 것과 비슷한 기능입니다.

제 7 장

객체지향
프로그래밍

함수 덕분에 반복되는 코드를 줄이고 좀 더 쉽게 수정할 수 있게 되었지만,
점점 방대해지는 코드로 인해 프로그래머의 고민은 깊어만 갑니다.
이에 코드를 정리하는 여러 방법론이 등장하죠.
객체지향 프로그래밍은 그 방법론 중 하나입니다.
이번 장에서는 객체지향 프로그래밍의 기본 개념을 공부합니다.

7장 영상 강의

7장 관련 질문

01 객체지향 프로그래밍이란 무엇일까?

객체지향 프로그래밍을 이해하기 위해서는 아래 네 개의 용어 그룹을 알아야 합니다. 각 그룹에 속한 용어들은 서로 비슷한 의미를 갖고 있습니다. 책에서는 객체(#인스턴스), 기능(#함수, #메서드), 데이터(#변수, #속성, #프로퍼티)와 같이 표현합니다. 용어의 개념은 조금씩 다르지만, 기초를 배우는 단계에서는 개념을 자세하게 구분하는 것보다 원하는 기능을 사용하는 것이 더 중요합니다. 비유하자면 야채와 채소는 다르지만, 그 차이를 공부하는 데 시간을 쏟기보다는 야채와 채소를 활용해 맛있는 요리를 만드는 데 집중하는 것과 같습니다.

    ① 클래스(Class)
    ② 객체(Object), 인스턴스(Instance)
    ③ 기능, 함수(Function), 메서드(Method)
    ④ 데이터, 변수, 속성(Attribute), 프로퍼티(Property)

데이터를 유형별로 구분한 체계를 자료형(#타입)이라고 합니다. 앞서 문자(str), 정수(int), 실수(float), 참/거짓(bool) 이렇게 네 가지를 배웠죠. 그런데 세상에는 코드로 표현해야 하는 것이 수없이 많습니다. 단순한 자료형 몇 가지로는 복잡한 데이터를 모두 표현할 수가 없습니다.

누군가는 행과 열로 이루어진 엑셀 형식의 데이터를 다루고 싶어 합니다. 이에 판다스 패키지에서는 엑셀 형식의 데이터를 체계적으로 다룰 수 있는 긴 코드를 만들었고, 그 코드의 이름을 데이터프레임(DataFrame)이라고 지었습니다. 또 다른 누군가는 웹에 있는 데이터를 다루고 싶어 합니다. 이에 셀레니움 패키지에서는 웹페이지의 데이터를 다룰 수 있는 긴 코드를 만들었고, 그 코드의 이름을 웹엘리먼트(WebElement)라고 지었습니다. 데이터프레임과 웹엘리먼트를 활용하면 코드를 직접 작성하지 않고도 복잡한 엑셀 형식의 데이터와 웹페이지의 데이터를 다룰 수 있습니다. 데이터프레임과 웹엘리먼트와 같은 코드의 집합을 ① 클래스라고 합니다.

판다스 패키지에서 만든 **데이터프레임** (DataFrame)	셀레니움 패키지에서 만든 **웹엘리먼트** (WebElement)	SQLAchemy 패키지에서 만든 **쿼리** (Query)	리퀘스트 패키지에서 만든 **리스판스** (Response)
엑셀 형식의 데이터를 체계적으로 다룰 수 있는 긴 코드	웹페이지의 데이터를 체계적으로 다룰 수 있는 긴 코드	데이터베이스의 데이터를 다룰 수 있는 긴 코드	서버에서 받은 데이터를 다룰 수 있는 긴 코드

표 7-1 다양한 분야의 클래스들

클래스에는 ③ 기능(#함수, #메서드)과 ④ 데이터(#변수, #속성, #프로퍼티)가 들어 있습니다. 즉, 우리는 클래스에 있는 기능과 데이터를 이용할 수 있습니다.

그림 7-1 클래스에는 기능과 데이터가 들어 있다.

앞서, 코드의 집합을 패키지(#라이브러리)라고 했는데, 패키지와 클래스는 어떤 차이가 있는 걸까요? 패키지에는 클래스를 포함해 많은 코드가 들어갈 수 있습니다. 예를 들면 모듈, 패키지 안의 패키지인 서브 패키지, 기능과 데이터까지 모두 들어갈 수 있죠. 패키지가 클래스를 포함해 이런저런 코드를 담을 수 있는 큰 상자의 개념이라면, 클래스는 그 안에 담을 수 있는 내용물 중 하나입니다.

그림 7-2 패키지 안에 들어갈 수 있는 다양한 요소들

엑셀과 같이 행과 열로 되어 있는 데이터를 다루는 데이터프레임에는 기업 실적, 고객 주소 등 여러 정보가 담길 수 있습니다. 웹페이지를 다루는 웹엘리먼트에도 웹페이지(ex.뉴스 기사, 쇼핑몰 메인 화면, 소셜미디어 등)에 따라 다양한 정보가 담길 수 있죠. 이렇게 클래스에 실제 정보를 담아 만든 것을 ② 객체(Object) 혹은 인스턴스(Instance)라고 부릅니다.*

클래스와 객체의 관계를 설명하는 다양한 비유가 있습니다. 비유가 많다는 건, 그만큼 클래스와 객체의 관계를 명확하게 설명하는 것이 어렵다는 의미이기도 합니다. 아직 코드 작성이 서툰 초보 독자들을 위해 최대한 쉽게 풀어서 설명해보겠습니다.

헬스장 주인이 회원 정보를 받아 취합하려고 합니다. 그런데 오늘은 이름만 받고 내일은 연락처만 받거나, 어떤 날은 이름, 전화번호 순서로 받고, 다른 날은 전화번호,

---

* 객체는 좀 더 추상적인 개념, 인스턴스는 프로그래밍의 결과에 가까운 개념입니다. 하지만 많은 자료에서 이 둘을 섞어서 사용합니다.

이름 순서로 받는다면 나중에 회원 정보를 사용할 때 어려움이 있겠죠.

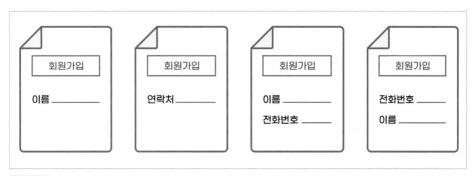

그림 7-3 정보가 뒤죽박죽으로 정리되어 있는 회원 가입 문서

이럴 때 필요한 것이 엑셀로 만든 템플릿입니다. 템플릿에는 이름, 연락처, 주소 등이 있습니다(데이터). 또, 필터 등을 활용해 성별이나 연령대별로 회원을 분류할 수 있죠 (기능). 즉, 템플릿에는 데이터와 기능이 들어 있습니다. 이 템플릿이 바로 클래스에 해당합니다.

그림 7-4 데이터와 기능이 있는 템플릿 = 클래스

헬스장 주인은 이 템플릿에 회원 정보를 적습니다.* 그리고 이렇게 실제 정보가 담긴 템플릿을 객체라고 부릅니다. 클래스에 실제 정보를 담은 것이 객체이므로 객체에도 기능과 데이터가 있고, 사용자는 객체의 기능과 데이터를 활용할 수 있습니다.

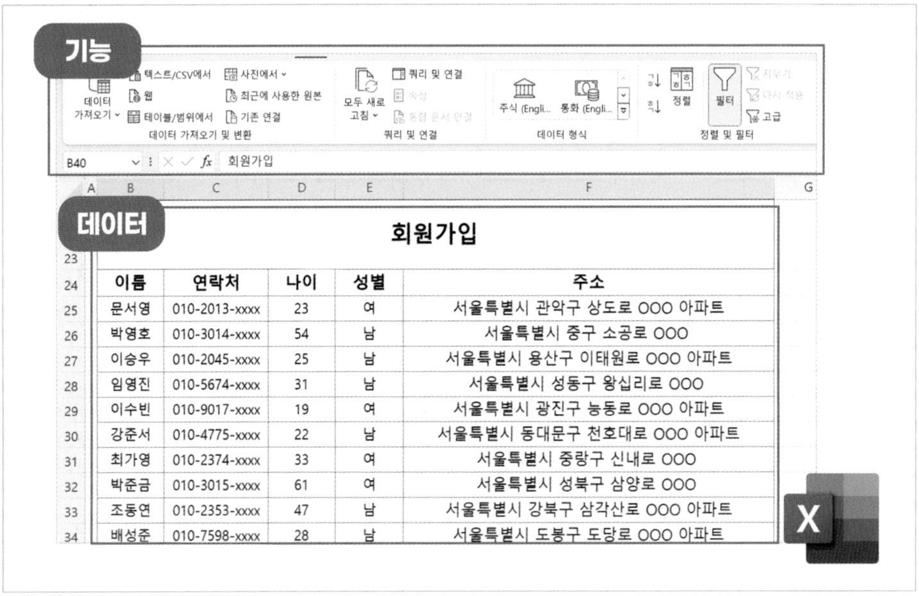

그림 7-5 클래스에 실제 정보를 담아 만든 객체

헬스장 주인은 이 클래스 템플릿을 옆 동네 헬스장 주인에게 공유해줄 수 있습니다. 그럼, 옆 동네 헬스장 주인은 이 클래스 템플릿에 자신의 회원 정보를 담아 사용하겠죠. 동일한 클래스 템플릿이므로 사용할 수 있는 기능과 데이터는 같지만, 들어가는 정보(매개변수)가 다르므로 객체가 동일하진 않습니다. 즉, 어떤 정보(매개변수)를 담는지에 따라 객체의 모습은 달라집니다.

중요한 건, 헬스장 주인이 만든 클래스 템플릿을 쓰면 엑셀의 원리를 모르는 사람도 엑셀의 기능과 데이터를 활용해 회원 관리를 할 수 있다는 것입니다.

---

* 함수에서 소괄호 안에 넣는 정보를 매개변수(#파라미터)라고 했습니다. 클래스에 넣는 정보 역시 매개변수라고 부릅니다.

그림 7-6 클래스에 담는 정보에 따라 달라지는 객체의 모습

프로그래밍(#코딩, #개발)도 마찬가지입니다. 프로그래머(#개발자)는 코드를 작성할 때 클래스를 만들고, 그 안에 데이터를 담을 공간과 데이터를 이용한 기능을 넣어둘 수 있습니다. 그러면 동료가 클래스 안의 코드를 이해할 필요 없이 바로 객체를 만들어서 그 코드를 활용할 수 있죠. 코드가 간결해지는 것은 물론, 클래스에 있는 무수히 많은 기능과 데이터를 활용하므로 좀 더 쉽게 프로그래밍을 할 수 있습니다.

클래스와 객체를 이용해 프로그래밍하는 방식은 전 세계적으로 엄청난 히트를 칩니다. 이때, 프로그래머가 실제로 사용하는 것은 클래스가 아닌 객체입니다. 클래스에 실제 정보(매개변수)를 담아 객체로 만든 다음, 이 객체를 활용해 무언가를 구현하죠. 이렇게 객체를 이용해서 프로그래밍하는 방식을 객체지향 프로그래밍(Object-oriented programming, OOP)이라고 합니다.

파이썬 언어를 처음 배우는 분들 중 상당수가 객체지향 프로그래밍에서 포기를 합니다. 왜 그럴까요? 객체지향으로 프로그래밍을 하는 것이 쉽지 않기 때문입니다. 클래스를 만들기 위해서는 더 깊은 지식이 필요합니다. 예를 들면 다음과 같습니다.

먼저, 클래스로 만들고 싶은 것을 단순화하여 기능과 데이터를 정리하는 **추상화**를 알아야 합니다. 또, 클래스간의 코드가 중복되는 걸 막기 위해 **상속**을 이용해야 하죠. 사용하는 쪽에서 클래스를 더 쉽게 쓸 수 있도록 **다형성**을 고려함은 물론, 중요한 데이터를 함부로 수정하는 것을 막기 위해 **캡슐화**도 염두에 두어야 합니다. 그리고 이 모든 코드를 **SOLID 원칙**에 입각해서 프로그래밍해야 하죠.

그림 7-7 클래스를 만들기 위한 지식(좌)과 클래스를 잘 활용하기 위한 지식(우)

한눈에 봐도 기초를 배우는 우리가 이해할 수 있는 수준이 아닙니다. 이 책으로 첫 걸음을 떼고 스스로 코드를 작성하다 보면, 언젠가 클래스를 만들어야 하는 순간이 옵니다. 그때 위 개념들을 공부해도 늦지 않습니다. 지금 우리에게 필요한 것은 클래스를 잘 만드는 것이 아니라, 누군가 만들어놓은 클래스를 잘 활용하는 것입니다. 그렇다면 어떻게 클래스를 잘 활용할 수 있을까요? 지금부터 패키지, 클래스, 모듈의 활용법을 한방에 정리해드리겠습니다.

02 중요한 건 기능의 활용!

패키지에는 모듈, 서브 패키지, 클래스, 기능, 데이터 등 여러 가지가 들어 있습니다. 중요한 건 패키지 안에 들어 있는 코드를 잘 활용하는 것입니다. 활용하는 방법은 간단합니다. 점(.)을 찍으면 됩니다. 파이참을 열고 코드 입력창에 아래 코드를 입력한 뒤, 점을 찍어보세요. 판다스 패키지 안에서 사용할 수 있는 여러 코드의 목록이 나옵니다.*

그림 7-8 pandas 뒤에 점을 찍어 판다스 패키지에 들어 있는 코드를 불러오는 모습

---

* 판다스 패키지가 설치되어 있어야 합니다.

패키지와 마찬가지로 클래스에 있는 기능과 데이터도 점을 찍어 사용합니다. 단, 보통은 클래스 자체에 점을 찍지 않고, 객체를 만든 다음 객체에 점을 찍습니다.[*] 클래스를 객체로 만드는 방법은 간단합니다. 클래스를 적고 소괄호 안에 정보(매개변수)를 넣으면 됩니다. 이렇게 객체로 만든 다음 점을 찍으면 기능과 데이터를 불러올 수 있습니다.[**]

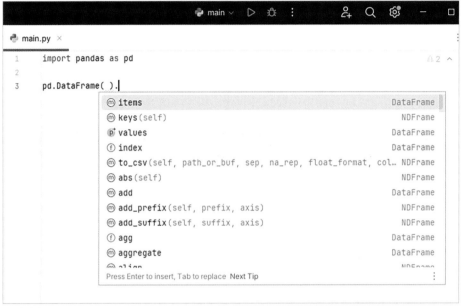

그림 7-9 데이터프레임을 객체로 만든 다음, 점을 찍어 기능과 데이터를 불러오는 모습. 예시처럼 소괄호 안에 정보(매개변수)를 넣지 않으면 비어 있는 객체가 된다.

보통 클래스를 객체로 만든 다음, 객체를 변수에 담아 사용합니다. 그럼 변수에 점을 찍어 객체의 기능과 데이터를 쓸 수 있습니다. 그림 7-10 코드를 볼까요?

---

[*] 클래스 자체에 있는 기능을 정적 메서드(#클래스 메서드), 데이터를 클래스 변수라고 합니다. 정적 메서드와 클래스 변수는 객체를 만들지 않고 바로 점을 찍어 사용합니다.

[**] 보통 영문 대문자로 시작하는 코드 뒤에 소괄호가 나오면 클래스, 소문자로 시작하는 코드 뒤에 소괄호가 나오면 함수입니다.

그림 7-10 객체가 담긴 변수에 점을 찍어 기능과 데이터를 불러오는 모습

❶ 첫 번째 줄에서는 import를 써서 판다스 패키지를 불러왔습니다. ❷ 세 번째 줄에서는 판다스 패키지에 점을 찍어 패키지 안에 있는 데이터프레임을 불러옴과 동시에 소괄호를 열고 닫아, 클래스인 데이터프레임을 객체로 만들었습니다. 그리고 이 객체를 변수 new_df에 담았습니다. ❸ 이제 new_df가 데이터프레임의 객체이므로, new_df에 점을 찍으면 데이터프레임의 기능과 데이터를 사용할 수 있습니다.

파이썬 언어는 모든 자료형을 클래스로 만들었습니다. 따라서 자료형도 점을 찍어 기능과 데이터를 불러올 수 있습니다. 문자(str), 정수(int), 실수(float), 참/거짓(bool)과 같은 자료형이 클래스라는 게 선뜻 이해가 가지 않으실 텐데요, 클래스는 객체를 만들어 기능과 데이터를 사용할 수 있었죠? 자료형도 객체를 만들어 기능과 데이터를 쓸 수 있다고 이해하면 쉽습니다.

큰따옴표("")를 적으면 문자 자료형 객체가 만들어집니다. 그 뒤에 점을 찍으면 문자 자료형 객체에서 쓸 수 있는 기능과 데이터의 목록이 나옵니다. 큰따옴표 안에 들어가는 것들은 전부 문자로 인식되므로, 그 안에 어떤 것을 넣어도 같은 목록이 나옵니다. 오른쪽에 흐릿하게 적힌 str을 통해 목록에 있는 기능과 데이터들이 문자 자료형에 내장된 것임을 알 수 있습니다.

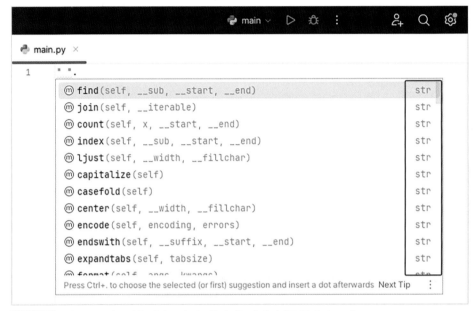

그림 7-11 큰따옴표를 적고 점을 찍어 문자 자료형의 기능과 데이터를 불러오는 모습

다만, 정수 자료형 뒤에 점을 찍으면 아무 일도 일어나지 않습니다. 정수 뒤에 찍힌 점은 기능을 불러오는 점이 아니라, 10.5나 10.9처럼 소수점을 표현하는 점이기 때문입니다. 이런 이유로 정수 자료형은 소괄호 안에 정수를 넣어 객체로 만든 다음, 그 뒤에 점을 찍어 내장된 기능과 데이터를 불러옵니다.

그림 7-12 소괄호 안에 정수를 넣고, 그 뒤에 점을 찍어 기능과 데이터를 불러오는 모습

보통은 객체를 변수에 담고, 변수에 점을 찍어 기능과 데이터를 사용합니다. 예를 들면 정수 10을 변수 ten에 담은 뒤, ten에 점을 찍어 기능과 데이터를 불러오는 것이죠.

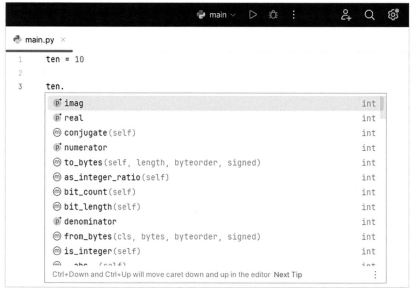

그림 7-13 정수 객체를 변수에 담고, 변수에 점을 찍어 기능과 데이터를 불러오는 모습

소수점을 포함하는 실수 자료형과 참/거짓을 나타내는 bool 타입의 자료형 역시 객체로 만든 다음, 뒤에 점을 찍어 기능과 데이터를 불러올 수 있습니다.

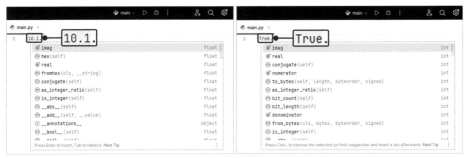

그림 7-14 실수 객체와 True 객체에 점을 찍어 기능과 데이터를 불러오는 모습

지금까지 점을 찍어 기능과 데이터를 불러오는 방법을 배웠습니다. 그런데 여러 목록 중 어떤 게 기능이고 어떤 게 데이터일까요? 그림 7-15를 보면서 설명드리겠습니다.

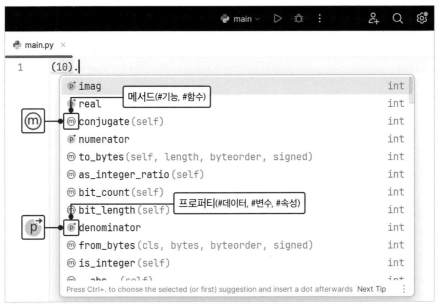

그림 7-15 기능과 데이터의 구분

클래스(객체)에서 기능은 함수, 메서드와 같은 의미로, 데이터는 변수, 속성, 프로퍼티와 같은 의미로 쓰인다고 말씀드렸죠? 목록 왼쪽에 m과 p라고 적힌 동그라미가 보입니다. m은 메서드의 약자, p는 프로퍼티의 약자입니다. 즉, m이 기능이고 p가 데이터입니다. 추가로 한 가지 더 말씀드리면 기능을 함수와 메서드로, 데이터를 프로퍼티, 속성, 변수로 섞어서 쓰는 분야는 클래스와 객체입니다. 패키지와 모듈에서는 용어를 섞지 않고 함수와 변수라고 명확하게 지칭합니다. 잠시 모듈을 살펴볼까요? 모듈은 파일 하나(main.py)를 의미합니다. 파일에는 다양한 코드가 적혀 있죠. 코드 안에도 점을 찍어 사용할 수 있는 무언가가 있을 수 있습니다. 그림 7-16에서 볼 수 있듯, 모듈 뒤에 점을 찍자 함수와 변수, 클래스가 나옵니다. 메서드와 프로퍼티가 아닌 함수, 변수, 클래스라고 쓰여 있네요. 이렇게 모듈도 점을 찍어 무언가를 쓸 수 있지만, 해당되는 코드가 없으면 점을 찍어도 아무 일도 일어나지 않습니다.

그림 7-16 모듈 안에 함수, 변수, 클래스가 있으면 점을 찍어 사용할 수 있다.

마지막으로 그림 7-17을 보면서 배운 내용을 정리해보겠습니다.

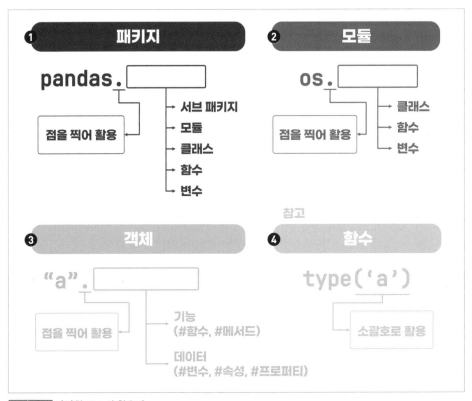

그림 7-17 다양한 요소의 활용법

❶ 패키지는 점을 찍어 그 안에 있는 서브 패키지, 모듈, 클래스, 함수, 변수를 쓸 수 있습니다.

❷ 모듈 안에는 클래스, 함수, 변수가 있을 수 있습니다. 클래스, 함수, 변수가 있으면 점을 찍어 이들을 활용할 수 있지만, 없으면 점을 찍어도 아무 일도 일어나지 않습니다.

❸ 클래스에는 기능(#함수, #메서드)과 데이터(#변수, #속성, #프로퍼티)가 들어 있었죠. 이 기능과 데이터는 클래스를 객체로 만든 다음, 그 뒤에 점을 찍어 사용합니다. 또, 파이썬은 모든 자료형은 클래스로 만들었습니다. 따라서 자료형을 객체로 만든 다음, 점을 찍으면 내장된 기능과 데이터를 사용할 수 있습니다.

❹ 마지막으로 함수는 점을 찍지 않고 소괄호를 사용합니다.

03 코드 해석하기

개념을 확실하게 익히면 세부적인 내용까지는 모르더라도 큰 틀에서 코드를 해석할 수 있습니다. 배운 내용을 바탕으로 아래 코드를 해석해보겠습니다.

❶ 첫 번째 줄에 있는 import는 무언가를 불러오는 명령어였죠. 뒤에 나오는 datetime 은 패키지 혹은 모듈인 것 같습니다.

세 번째 줄은 = 을 기준으로 오른쪽부터 보겠습니다. ❷ datetime 뒤에 점이 나옵니다. 패키지 혹은 모듈 안에 있는 무언가를 쓰겠다는 의미입니다. ❸ 점 다음에는 date 가 있습니다. date가 무엇인지 유추하려면 다음 코드를 봐야 합니다. 소괄호가 없는 상태에서 뒤에 또 점이 있습니다. 패키지 혹은 모듈 안에 있으면서 소괄호 없이 점을 찍어 무언가를 불러올 수 있는 것은 변수와 클래스 등이 있습니다. 그러므로 date는 이중 하나라고 유추해볼 수 있습니다.

❹ 그다음 date 뒤에 점을 찍고, 그 안에 있는 기능 today를 불러왔습니다. 소문자 로 시작하고 소괄호가 열고 닫히는 것으로 보아 today는 함수입니다. 그런데 괄호 안이 비어 있습니다. 즉, today는 매개변수가 없는 함수입니다. 함수는 리턴값(#결괏 값, #반환값)이 있습니다. 무엇이 나올지는 모르겠지만, today( )를 통해 어떤 값이 나

```
today = datetime.date.today( ).strftime("%Y-%m-%d")
```

올 것이고, 그 값 뒤에 또 점이 찍혀 있습니다. 이로 미루어 보아 함수의 리턴값이 객체임을 알 수 있습니다. ❺ 점 뒤에는 strftime과 함께 소괄호가 있습니다. 객체에 점을 찍어 그 안에 있는 strftime 함수*를 사용했습니다. 그리고 함수의 매개변수로는 "%Y-%m-%d"을 넣었습니다. ❻ 마지막으로 이렇게 나온 값을 = 왼쪽에 있는 변수 today에 담았습니다.

이런 식의 해석이 가능하면 함수와 객체지향 파트를 완벽하게 이해한 것입니다. 이제 두 번째 실습에서 사용했던 코드를 다시 볼까요?

❶ 먼저, 첫 번째 줄과 두 번째 줄입니다. import를 활용해 os와 shutil 모듈을 불러왔습니다. 별도의 설치 없이 불러오는 것으로 보아, os와 shutil은 파이썬 내부 라이브러리에 있는 모듈임을 알 수 있습니다.

❷ 네 번째 줄에는 다운로드 폴더의 주소가 적혀 있습니다. 접두사 r을 사용해 역슬래시(\)를 이스케이프 문자로 인식하지 않도록 했습니다. 그리고 이 주소를 변수

---

* 패키지(정확히는 모듈)에 들어 있는 기능은 함수, 객체에 들어 있는 기능은 메서드입니다. 따라서 정확하게 이야기하면 strftime 메서드입니다.

source_dir에 담았습니다.

❷ 다섯 번째 줄에는 설치파일모음 폴더의 주소가 적혀 있습니다. 마찬가지로 접두사 r을 사용해 역슬래시(\)를 이스케이프 문자로 인식하지 않도록 했고, 주소를 변수 dest_dir에 담았습니다.

❸ 일곱 번째 줄부터 점이 나오기 시작합니다. 첫 번째 점은 os 뒤에 있습니다. os 모듈에 있는 무언가를 쓰겠다는 의미죠. 소문자로 시작하고 소괄호가 있는 것으로 보아 listdir은 함수입니다. 그리고 함수의 매개변수로 source_dir을 넣었습니다.

❹ 두 번째 점은 file_name 뒤에 있습니다. 여기서 점을 찍을 수 있는 건 패키지, 모듈, 객체인데 모듈인 os와 shutil은 file_name과 연관이 없으므로 file_name은 객체인 듯합니다.* 뒤에 나오는 endswith는 소문자로 시작하고, 소괄호를 열고 닫는 것으로 보아 함수임을 알 수 있습니다. 매개변수로는 ".exe"를 사용했네요.

❺ 마지막 점은 shutil 뒤에 있습니다. shutil은 모듈이었죠. 이 안에 있는 무언가를 쓰겠다는 의미입니다. 뒤에 나오는 move는 구조를 보니 함수입니다. 그런데 소괄호 안이 조금 복잡하네요. 하나씩 뜯어보겠습니다. 매개변수를 여러 개 사용할 때는 중간에 콤마를 넣습니다. move 함수의 괄호 안에는 콤마를 기준으로 왼쪽에 os.path.join.(source_dir, file_name)이 있고, 오른쪽에 dest_dir이 있습니다. 즉, os.path.join.(source_dir, file_name)과 dest_dir이 move 함수의 매개변수입니다. 첫 번째 매개변수 안에서도 점을 찍어 기능과 데이터를 불러오고 있습니다. 먼저, os 뒤에 점을 찍어 os 모듈 내에 있는 path를 불러왔습니다. 그리고 path 뒤에 또다시 점을 찍어 join을 불러왔네요. path는 객체 아니면 모듈로 유추해볼 수 있고, 소문자로 시작하면서 뒤에 소괄호가 있는 join은 함수임을 알 수 있습니다. join 함수의 매개변수로는 source_dir과 file_name을 넣었습니다.

코드의 대부분을 해석했습니다. 아직 다루지 않은 for, in, if가 무엇인지는 다음 장에서 공부해보겠습니다.

---

* 9장 반복문까지 공부하면 명확하게 객체임을 알 수 있습니다.

1. 특정 패키지에 있는 함수를 사용했는데, 함수가 없어지거나 함수에 담긴 코드가 변경될 수도 있나요?

네, 코드가 없어지거나 변경될 수 있습니다. 이 경우, 코드에 디프리케이티드(Deprecated)를 적어 따로 표시를 해줍니다.

Function application, GroupBy & window

`DataFrame.apply` (func[, axis, raw, ...])	Apply a function along an axis of the DataFrame.
`DataFrame.map` (func[, na_action])	Apply a function to a Dataframe elementwise.
`DataFrame.applymap` (func[, na_action])	(DEPRECATED) Apply a function to a Dataframe elementwise.

그림 7-18 DEPRECATED 표시가 되어 있으면 해당 코드는 곧 없어진다고 생각하자.

디프리케이티드가 붙은 코드는 기존 버전에서만 사용이 가능하고, 이후에 버전이 업그레이드되면 사용이 불가합니다.* '그냥 기존 버전을 계속 쓰면 되지 않을까?' 하는 생각을 할 수 있습니다. 그러나 최신 버전에서 속도와 같이 매우 중요한 요소를 개선했다면 그 코드 하나 때문에 전체 프로젝트의 속도가 느려지는 것을 감내해야 합니다.

그럼, 이미 사용한 코드가 없어질 예정일 때는 어떻게 해야 할까요? 보통은 패키지의 공식 문서에서 대안을 함께 설명해주니, 그 내용을 참고하면 됩니다.

---

* 업그레이드 직후 바로 없어질 수도 있고, 약간의 시간을 둔 다음 없어질 수도 있습니다.

세 번째 실습

첫 번째 실습에서는 엑셀 파일의 데이터를
파이썬으로 불러오는 방법을 배웠습니다.
세 번째 실습에서는 두 개의 엑셀 파일에 있는 데이터를 불러온 후,
생성형 AI를 활용해 하나로 합치는 코드를 만들어보겠습니다.

세 번째 실습 영상 강의

세 번째 실습 관련 질문

세 번째 실습 코드

01 생성형 AI를 활용해 엑셀 파일의 데이터 합치기

위 이미지는 첫 번째 실습에서 만들었던 around 파일입니다. 새로운 엑셀 파일을 열고 아래 이미지처럼 카페에 있는 물건을 생각하며 목록을 적어봅시다. 저는 커피, 테이블, 텀블러, 케이크를 적은 후, 파일명을 cafe로 저장했습니다. around와 cafe라는 두 개의 엑셀 파일이 완성되었습니다.

	A	B	C	D	E	F
1	순번	보이는 것				
2	1	커피잔				
3	2	다이어리				
4	3	조명				
5	4	스티커				
6	5	의자				
7						
8						

	A	B	C	D	E	F
1	순번	보이는 것				
2	1	커피				
3	2	테이블				
4	3	텀블러				
5	4	케이크				
6						
7						
8						

실습 3-1 첫 번째 실습에서 만들었던 around 파일(위)과 새롭게 만든 cafe 파일(아래)

두 엑셀 파일을 프로젝트 폴더로 옮겨보겠습니다. 먼저 around 파일을 복사한 후, 파이참을 열어줍니다. ❶ 좌측 프로젝트(Project) 탭의 최상위 폴더를 선택하고, 마우스 오른쪽 버튼을 누릅니다. ❷ 붙여넣기(Paste)를 클릭하면 새로운 창이 뜹니다. ❸ OK 버튼을 눌러주세요.

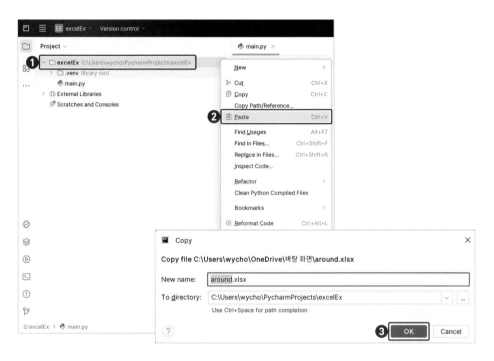

프로젝트 폴더 안에 around.xlsx 파일이 생성되었습니다. 동일한 방식으로 cafe.xlsx 파일도 생성해주세요.

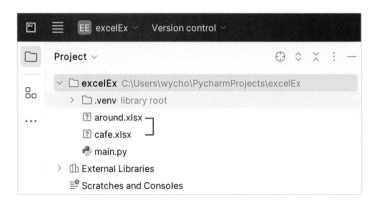

이제 두 엑셀 파일의 데이터를 하나로 합칠 차례입니다. 생성형 AI가 코드를 작성할 수 있도록 파일의 이름이나 내용 등을 최대한 자세하게 설명한 후, 코드를 요청했습니다.

 You
첫 번째 엑셀 파일의 이름은 **around.xlsx**이고, 두 번째 엑셀 파일의 이름은 **cafe.xlsx**야.
이 두 파일에는 각각 '순번'과 '보이는 것'이 적혀 있어.
순번에는 1번부터 번호가 적혀 있고, 보이는 것에는 사물들이 적혀 있지.

이 두 파일에 있는 사물들을 합친 다음, 순번을 1번부터 다시 정리하고 싶어.
알맞는 파이썬 코드를 작성해줘.

그러자 생성형 AI가 아래처럼 답변을 주었습니다.

 ChatGPT
두 엑셀 파일을 하나의 파일로 합치려면 판다스 라이브러리의 `concat()` 함수를 사용하면 됩니다.

```python
import pandas as pd

around = pd.read_excel("around.xlsx")
cafe = pd.read_excel("cafe.xlsx")

# 두 파일을 하나로 결합해 새로운 파일로 생성
combined = pd.concat([around, cafe])

# '순번'을 1부터 다시 정리하기
combined['순번'] = range(1, len(combined) + 1)

# 새로운 파일을 엑셀 파일로 내보내기
combined.to_excel("combined.xlsx", index=False)
```

생성형 AI가 알려준 코드를 복사해서 코드 입력창에 붙여넣습니다. 코드를 한 줄씩 살펴볼까요?

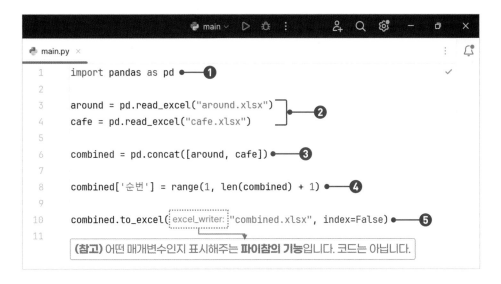

❶ 첫 번째 줄은 import를 이용해 판다스 패키지(#라이브러리)를 불러오고, 앞으로 판다스를 pd로 줄여서 부르겠다는 의미입니다.

❷ 세 번째 줄과 네 번째 줄에서는 pd 뒤에 점(.)을 찍어 판다스 안에 있는 함수를 사용했습니다. read_excel은 엑셀 파일의 데이터를 불러오는 함수로, 매개변수로는 엑셀 파일의 이름을 문자(str) 자료형(#타입)으로 받습니다. 그리고 이렇게 나온 함수의 리턴값(#결괏값, #반환값)을 각각 around와 cafe 변수에 담았습니다.

여기까지는 앞에서 배운 내용입니다. 이제 새로운 내용을 공부해보죠.

❸ 여섯 번째 줄에서는 새로운 함수 concat이 나옵니다. concat 함수를 이용하면 여러 개의 데이터를 하나로 합칠 수 있습니다. 매개변수로는 read_excel 함수의 리턴값이 담겨 있는 변수 around와 cafe가 들어갔네요. 그런데 자세히 보니, 대괄호[ ]가 있습니다. concat 함수와 함께 쓰인 이 대괄호는 리스트입니다. 리스트는 9장 반복문에서 공부합니다. 마지막으로 이렇게 나온 concat 함수의 리턴값을 다시 변수 combined에 담았습니다.

```
combined['순번'] = range(1, len(combined) + 1) ●━━④

combined.to_excel( excel_writer: "combined.xlsx", index=False) ●━━⑤
```

(참고) 어떤 매개변수인지 표시해주는 **파이참의 기능**입니다. 코드는 아닙니다.

④ 여덟 번째 줄에서는 range가 쓰였습니다. 두 개의 매개변수를 받았네요. range 역시 9장 반복문에서 자세히 배웁니다.

⑤ 마지막 줄을 볼까요? 변수 combined는 concat 함수의 리턴값이 담겨 있는 객체 입니다. 따라서 점을 찍어 기능(#함수, #메서드)을 쓸 수 있습니다. combined에 점을 찍어 to_excel 메서드*를 사용했네요. to_excel은 객체 combined의 데이터를 엑셀 파일로 저장하는 메서드로, 여러 개의 매개변수를 받을 수 있습니다. 위 코드에서는 두 개의 매개변수를 받았습니다. 첫 번째 매개변수인 "combined.xlsx"는 두 엑셀 파일의 데이터가 합쳐진 새로운 엑셀 파일의 이름입니다. 그렇다면 두 번째 매개변수 인 index=False는 어떤 의미일까요? 판다스는 각 데이터에 내부적으로 번호를 붙입니다. 이 번호가 바로 인덱스(index)입니다. 그런데 새로 만든 combined.xlsx 파일 에는 이미 순번 열에 데이터의 번호가 있습니다. 중복해서 번호를 넣을 필요가 없겠죠? 그래서 데이터를 엑셀 파일로 저장할 때 인덱스를 함께 내보내지 말라는 의미에서 index=False를 적었습니다.

---

* 패키지(정확히는 모듈)에 들어 있는 기능은 함수, 객체에 들어 있는 기능은 메서드입니다. concat은 함수, to_excel은 메서드로 표기한 이유입니다. 다만, 많은 자료에서 이 둘을 섞어서 씁니다.

실행 버튼을 누르자, 터미널에 Process finished with exit code 0 문구가 떴습니다. 코드가 제대로 동작했다는 뜻입니다. 동시에 왼쪽 상단에 combined.xlsx 파일이 생성되었습니다.

combined.xlsx 파일을 열자, 두 엑셀 파일의 데이터가 하나로 합쳐진 모습을 확인할 수 있습니다.

	A	B	C	D	E	F
1	순번	보이는 것				
2	1	커피잔				
3	2	다이어리				
4	3	조명				
5	4	스티커				
6	5	의자				
7	6	커피				
8	7	테이블				
9	8	텀블러				
10	9	케이크				
11						

저건 또 뭘까..?

걱정이 많은
편집자

1. 문자 자료형을 공부하면서 접두사 r을 배웠는데요, 뒷장을 살펴보니 접두사 f도 있더라고요. 이 접두사는 어떤 역할을 하나요?

파이썬은 큰따옴표("") 안에 있는 데이터를 문자 자료형으로 인식합니다. 그런데 예외가 필요한 상황이 있습니다. 아래 코드를 볼까요?

```python
var = 123

print("var 변수의 내용물은 123입니다.")
```

첫 번째 줄에서 숫자 123을 변수 var에 담았습니다. 그리고 세 번째 줄에서 print를 이용해 "var 변수의 내용물은 123입니다."라는 문구가 출력되도록 했습니다. 문제는 var이 변수라서 그 안에 담긴 데이터가 달라질 수 있다는 것입니다. 예를 들면, 지금은 123이지만 다음에는 456이 될 수도 있죠. 문자 자료형 안에서 변수에 담긴 데이터를 출력하려면 어떻게 해야 할까요?

이럴 때 사용할 수 있는 접두사가 바로 f입니다. 큰따옴표 앞에 f를 쓰고, 중괄호{ } 안에 변수를 적으면 변수에 담긴 데이터가 문자 자료형으로 바뀝니다.

var에 456을 입력하고 실행 버튼을 누르자, 터미널에 **var 변수의 내용물은 456입니다.**라는 문구가 출력되었습니다.

제8장

조건을 다루는 조건문

모든 언어에는 문법이 존재합니다.
파이썬 언어에도 여러 가지 문법이 있죠.
8장에서는 조건을 다루는 조건문을 배웁니다.

8장 영상 강의

8장 관련 질문

8장 코드

01 조건문이란 무엇일까?

조건문이란 특정 조건이 참인지 거짓인지를 평가한 후, 이를 이용해 코드를 제어하는 문법입니다. 쉽게 말해 "○○이 참이면, 이 코드를 실행해!"라는 의미입니다. '○○이 참이면'의 의미를 갖는 영어 단어는 if입니다. 즉, 조건문은 if로 시작합니다. 문법이기 때문에 규칙이 있습니다. 먼저, if 뒤에 공백이 필요합니다. 그다음 조건을 입력합니다. 조건에는 참/거짓인 bool 타입의 자료형(#타입)이 와야 합니다. 조건을 쓴 후에는 콜론(:)을 넣습니다.

엔터를 치면 한 줄 아래로 내려가면서 탭(Tab)만큼 자동으로 들여쓰기가 됩니다. 이 상태에서 조건을 충족할 때 동작할 코드를 적습니다. 이렇게 들여쓰기 안에서 작성된 코드, 즉 내부 코드는 해당 조건문에서만 실행됩니다. 조건이 참이면 내부 코드가 실행되고, 참이 아니면 다음 코드로 넘어갑니다.

그림 8-1 if의 사용 규칙

숫자(number)가 10보다 크면, **크다**라는 문구를 출력하는 조건문은 어떻게 만들까요? 규칙에 맞춰 코드를 작성하면 아래와 같습니다.

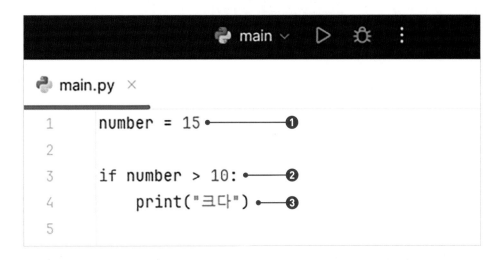

먼저, ❶ 변수 number에 임의의 숫자(15)를 담았습니다. ❷ 그다음 if가 나오면서 조건문이 시작됩니다. if 뒤에는 참/거짓으로 결과가 나오는 조건을 적습니다. 연산자 > 을 활용해 변수에 담긴 숫자가 10보다 큰지 묻고 있네요. 조건이 참이면 if문 아래 내부 코드가 실행되고, 거짓이면 다음 코드로 넘어갑니다. ❸ if문 아래 내부 코드에서는 print를 활용해 터미널에 "크다"가 출력되도록 했습니다.

실행 버튼을 누르자, 터미널에 **크다**가 출력되었습니다.[*]

```
C:\Users\wycho\PycharmProjects\ifEx\.venv\Scripts\python.exe C:\Users\wycho\PycharmProjects\ifEx\main.py
크다
Process finished with exit code 0
```

---

[*] 위 예시에서 조건이 거짓일 경우, 다음 코드가 없으므로 그대로 코드가 종료됩니다.

02 조건문의 이해

1 if문의 사용법

날씨에 따라 서로 다른 멘트를 출력하는 조건문을 만들어보겠습니다. 비가 오면 우산을 챙겨 나가라는 멘트가 출력되도록 아래처럼 조건문을 작성해보았습니다. 코드를 하나씩 살펴볼까요?

```python
weather = "비" ●❶

if weather == "비": ●❷
    print("비가 많이 옵니다.")
    print("우산을 챙겨 나가세요.")  ]●❸
```

❶ 실시간으로 바뀌는 날씨 정보를 반영하기 위해 날씨를 변수 weather에 담았습니다. 현재는 비가 오네요. ❷ 그다음 if가 나오면서 조건문이 시작됩니다. 연산자 == 을 활용해 현재 날씨가 비와 같은지를 묻습니다. 조건이 참이면 그 아래 내부 코드가 실행되고, 거짓이면 다음 코드로 넘어갑니다. ❸ if문 내부 코드에서는 print를 활용해 "비가 많이 옵니다." "우산을 챙겨 나가세요." 문구가 출력되도록 했습니다.*

---

* if문 내부 코드가 여러 줄이 될 수도 있음을 보여주기 위해 print를 두 개로 나눴습니다. print를 하나만 넣고 문장을 합쳐도 괜찮습니다.

실행 버튼을 누르자, 터미널에 **비가 많이 옵니다. 우산을 챙겨 나가세요.** 문구가 출력되었습니다.[*]

2 else의 사용법

이번에는 if문을 좀 더 확장한 else를 배워보겠습니다. else는 "if가 참이 아니면 else를 실행해!"라는 의미이며, 아래와 같은 사용 규칙을 갖습니다. else는 조건을 비교하지 않고, 바로 else의 코드를 실행하면서 조건문을 끝냅니다. 이런 이유로 항상 조건문의 마지막에 위치합니다.

그림 8-2 else의 사용 규칙

---

[*] 조건이 거짓일 경우, 다음 코드가 없으므로 그대로 코드가 종료됩니다.

비가 오지 않으면 우산을 챙기지 않아도 된다는 멘트를 추가해보겠습니다.

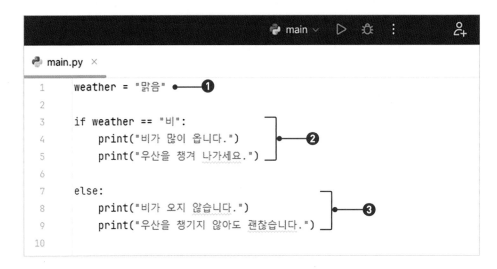

❶ 변수에 담긴 현재 날씨는 맑음입니다. ❷ 한 줄 아래 if문에서는 날씨가 비와 같은 지를 묻습니다. 조건이 거짓이므로 if문 아래 내부 코드는 실행되지 않습니다. ❸ 자동으로 다음 코드인 else로 넘어가서 else 아래의 내부 코드가 실행됩니다.

실행 버튼을 누르자, 터미널에 **비가 오지 않습니다. 우산을 챙기지 않아도 괜찮습니다.** 문구가 출력되었습니다.

이번에는 else와 if를 합친 elif를 배워보겠습니다. elif는 else if의 줄임말로, 이전 조건이 거짓일 때 그다음 조건을 확인하는 역할을 합니다. if, else와 함께 쓰일 때는 if - elif - else의 구조이며, 이때 elif는 반복해서 나올 수 있습니다. 참고로 if - elif - else 구조는 전체가 하나의 조건문입니다. 따라서 중간에 코드가 실행되면 뒤에 다른 조건이 있어도 그대로 조건문이 끝납니다.

그림 8-3 if - elif - else의 사용 규칙

비나 눈이 오면 우산을 챙기고, 흐림이면 강수확률을 확인하고, 비, 눈, 흐림이 아니면 우산을 챙기지 않아도 된다는 문구를 출력해보겠습니다.

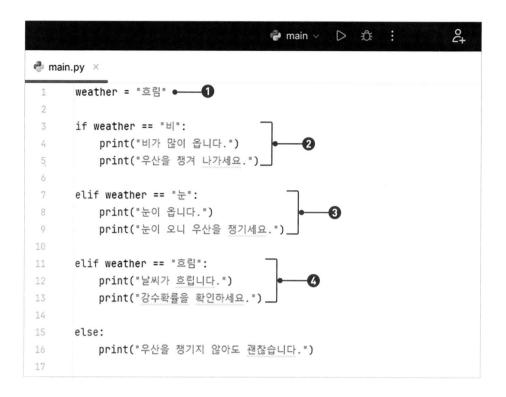

```python
1    weather = "흐림" ●━━━①
2
3    if weather == "비":
4        print("비가 많이 옵니다.")      ●━━━②
5        print("우산을 챙겨 나가세요.")
6
7    elif weather == "눈":
8        print("눈이 옵니다.")          ●━━━③
9        print("눈이 오니 우산을 챙기세요.")
10
11   elif weather == "흐림":
12       print("날씨가 흐립니다.")       ●━━━④
13       print("강수확률을 확인하세요.")
14
15   else:
16       print("우산을 챙기지 않아도 괜찮습니다.")
17
```

① 변수에 담긴 현재 날씨는 흐림입니다. ② 한 줄 아래 if문에서는 날씨가 비와 같은 지를 묻습니다. 조건이 거짓이므로 if문의 내부 코드가 실행되지 않고 다음 코드로 넘어갑니다. ③ 한 줄 아래 elif문에서 현재 날씨가 눈과 같은지를 묻습니다. 조건이 거짓이므로 내부 코드가 실행되지 않고 다음 코드로 넘어갑니다. ④ elif문이 다시 한 번 나오네요. 이번에는 현재 날씨가 흐림과 같은지를 묻습니다. 조건이 참이므로 내부 코드가 실행되고, 그대로 조건문이 끝납니다.

실행 버튼을 누르자, 터미널에 **날씨가 흐립니다. 강수확률을 확인하세요.** 문구가 출력되었습니다.

```
C:\Users\wycho\PycharmProjects\ifEx\.venv\Scripts\python.exe C:\Users\wycho\PycharmProjects\ifEx\main.py
날씨가 흐립니다.
강수 확률을 확인하세요.

Process finished with exit code 0
```

03 조건문 연습하기

1 레스토랑 음식 주문 프로그램 만들기

이번에는 레스토랑의 음식 주문 프로그램을 만들어보겠습니다. 파이참의 터미널을 키오스크 화면이라 생각하고, 조건문을 활용해서 아래와 같은 음식 주문 프로그램을 만들어보세요.

① 터미널에 "주문할 음식을 입력하세요."라고 띄우세요. 이후 손님이 음식 이름을 입력할 때까지 기다립니다.

② '피자'를 입력하면 "피자 선택. 콜라를 무료로 제공해드립니다."를 출력합니다.

③ '스파게티'를 입력하면 "스파게티 선택. 사이다를 무료로 제공해드립니다."를 출력합니다.

④ '치킨'을 입력하면 "치킨 선택. 맥주를 무료로 제공해드립니다."를 출력합니다.

⑤ 입력받은 메뉴가 '피자', '스파게티', '치킨'이 아니라면 "현재 제공되는 음식이 아닙니다. 다른 메뉴를 골라주세요."를 출력합니다.

여기서 우리가 배우지 않은 부분은 ①에 나오는 터미널에서 입력받는 기능입니다. 해당 기능이 무엇인지 생성형 AI에게 물어보세요. 단, ②~⑤까지 모두 물어보면 코드를 대신 작성해주므로 연습을 하는 의미가 없습니다. 우선은 ①에 필요한 기능만 알아내고, 그다음은 책에서 배운 내용을 활용해 직접 코드를 작성해보세요.

흐름에 따라 작성한 코드는 아래와 같습니다.

```python
order = input("주문할 음식을 입력하세요: ")          ●①

if order == "피자":
    print("피자 선택. 콜라를 무료로 제공해드립니다.")      ●②

elif order == "스파게티":
    print("스파게티 선택. 사이다를 무료로 제공해드립니다.")   ●③

elif order == "치킨":
    print("치킨 선택. 맥주를 무료로 제공해드립니다.")       ●④

else:
    print("현재 제공되는 음식이 아닙니다. 다른 메뉴를 골라주세요.")   ●⑤
```

① 첫 번째 줄에서는 input 함수를 사용했습니다. 그리고 input 함수의 리턴값(#결괏값, #반환값)을 변수 order에 담았네요. 여기서 input 함수는 어떤 역할을 할까요? input 함수는 매개변수(#파라미터, #인수, #인자, #argument)를 터미널에 안내 문구 형태로 출력합니다. 이때, 매개변수로는 문자(str) 자료형을 받습니다. 사용자가 안내 문구를 보고 터미널에 음식 이름을 입력하면 input 함수에 담긴 코드가 실행되고, 입력값이 문자 자료형으로 바뀌어 리턴됩니다.

② 세 번째 줄부터 조건문이 나옵니다. 연산자 == 을 이용해 고객이 주문한(입력한) 음식이 피자와 같은지를 묻습니다. 조건이 참이면 if문 내부 코드를 실행하고, 거짓이면 다음 코드로 넘어갑니다.

③ 여섯 번째 줄에서는 elif문을 이용해 고객이 주문한 음식이 스파게티와 같은지를 묻습니다. 조건이 참이면 내부 코드를 실행하고, 거짓이면 다음 코드로 넘어갑니다.

❹ 아홉 번째 줄에서도 elif문을 이용해 고객이 주문한 음식이 치킨과 같은지를 묻습니다. 조건이 참이면 내부 코드를 실행하고, 거짓이면 다음 코드로 넘어갑니다.

❺ 마지막으로 지금까지의 조건이 다 거짓이면 else의 코드를 실행하면서 조건문이 끝납니다.

이제 실행 버튼을 누릅니다. 터미널에 **주문할 음식을 입력하세요:** 문구가 출력되었습니다. 터미널을 키오스크라고 생각하고 콜론(:) 다음에 주문할 음식을 입력해보세요.

그럼 아래처럼 미리 준비한 멘트가 출력됩니다.

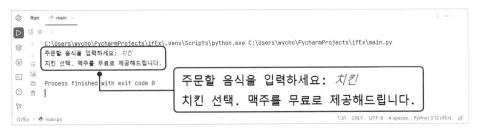

그림 8-4 치킨을 입력하자, 치킨 관련 문구가 출력된 모습

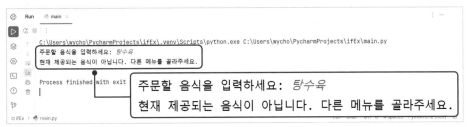

그림 8-5 탕수육을 입력하자, 다른 메뉴를 주문하라는 문구가 출력된 모습

조건문만 이용해서 키오스크의 프로그램을 만들 경우, 한 번 사용한 후에 프로그램이 종료됩니다. 뒤에 손님도 이용할 수 있도록 반복해서 사용할 수 있으면 좋겠죠? 이럴 때 필요한 문법이 바로 반복문입니다. 그럼 반복문을 배우러 가볼까요?

1. 조건문을 작성할 때, if - elif - else 구조와 if문을 반복하는 구조 중에 어떤 것을 써야 할지 헷갈릴 때가 있습니다. 선택하는 기준이 있을까요?

날씨는 맑음, 비, 폭염 중에 한 가지만 참입니다. 게임 난이도도 쉬움, 보통, 어려움 중에 한 가지만 참이죠. 이처럼 여러 조건 중 하나만 참일 때 if - elif - else 구조를 씁니다. 참고로 이렇게 한 가지만 참인 조건을 상호 배타적 조건이라고 합니다. 반면, 날씨가 맑거나 온도가 30℃ 이상의 조건은 둘 다 참이 될 수 있습니다. 또, 게임 난이도가 쉽거나 그래픽이 저화질이라는 조건 역시 둘 다 참이 될 수 있죠. 이렇게 여러 가지가 동시에 참이 될 수 있는 조건을 독립적 조건이라고 합니다. 독립적 조건에서는 여러 개의 if문을 써서 조건문을 작성합니다.

지금 작성하려는 조건문이 상호 배타적 조건인지 독립적 조건인지를 먼저 고민해보세요. 그럼, 어떤 구조를 써야 할지 감이 올 거예요!

제9장

리스트와 반복문

비밀번호를 다섯 번 틀리면 로그인이 제한되는 기능,
일 분마다 자동 저장되는 기능의 공통점은 무엇일까요?
바로, 특정 동작이 반복된다는 것입니다.
이번 장에서는 반복적인 요청을 수행하는 반복문을 알아보고
반복문과 자주 쓰이는 자료형인 리스트를 배워보겠습니다.

9장 영상 강의

9장 관련 질문

9장 코드

01 리스트란 무엇일까?

앞에서 우리는 문자(str), 정수(int), 실수(float), 참/거짓(bool) 이렇게 네 가지 자료형(#타입)을 배웠습니다. 이번에 공부할 자료형은 데이터를 순서대로 넣을 수 있는 리스트(list)입니다. 리스트의 사용 규칙은 간단합니다. 먼저 대괄호[ ]를 열고, 그 안에 데이터를 넣습니다. 그리고 데이터를 추가할 때마다 콤마를 찍습니다. 리스트에 들어가는 데이터는 문자, 정수, 실수, 참/거짓 또 다른 리스트 등 무엇이든 올 수 있으며, 데이터의 순서는 0번부터 시작합니다.

그림 9-1 리스트의 사용 규칙

아래 코드를 통해 리스트의 활용 예시를 살펴보겠습니다. 리스트 안에는 세 개의 데이터가 들어 있습니다. 그리고 이 리스트를 변수 cafe_menu에 담았습니다.

```python
cafe_menu = ["아메리카노", "카페라테", "녹차"]
```

리스트에 있는 데이터를 꺼낼 때는 대괄호[ ]를 입력한 후, 꺼내고 싶은 데이터의 순서를 적습니다. 아메리카노를 꺼내고 싶으면 cafe_menu[0], 카페라테를 꺼내고 싶으면 cafe_menu[1]이라고 적는 것이죠. 코드 입력창에 print(cafe_menu[0])을 적고 실행 버튼을 누르자, 터미널에 **아메리카노**가 출력되었습니다.

파이썬의 모든 자료형은 클래스입니다. 클래스는 객체로 만든 다음 점(.)을 찍어 기능(#함수, #메서드)과 데이터(#변수, #속성, #프로퍼티)를 사용했죠. 리스트 역시 자료형이므로 객체로 만든 다음 점을 찍어 기능과 데이터를 쓸 수 있습니다. 위 코드에서 리스트가 담긴 변수 cafe_menu는 리스트의 객체입니다. 따라서 cafe_menu에 점을 찍으면 리스트의 기능과 데이터를 사용할 수 있습니다.

데이터를 추가할 때는 점을 찍어 append 메서드(#함수)*를 씁니다. 예를 들어, ❶ 아래와 같이 적으면 ❷ 리스트에 아이스크림이 추가되어 데이터는 총 네 개가 됩니다.

그림 9-2 리스트에 아이스크림이 추가된 모습

반대로 점을 찍고, remove 메서드를 적으면 데이터를 제거할 수 있습니다. 예를 들어, ❸ 아래와 같이 적으면 ❹ 리스트에 있는 녹차 데이터가 삭제됩니다.

```python
cafe_menu = ["아메리카노", "카페라테", "녹차"]

cafe_menu.remove("녹차") ●──❸

print(cafe_menu)
```

* 객체의 기능은 메서드라고 부릅니다.

그림 9-3 리스트에서 녹차가 제거된 모습

이 외에도 리스트 안에는 다양한 기능이 있는데요, 나머지는 필요한 순간에 공부하면 됩니다. 리스트와 비슷한 자료형으로는 튜플(tuple)이 있습니다. 튜플은 대괄호[ ] 대신 소괄호( )를 쓴다는 점만 제외하면 리스트와 사용법이 거의 같습니다. 이 둘의 가장 큰 차이는 데이터의 수정 유무입니다. 리스트는 데이터를 추가·삭제·변경할 수 있지만, 튜플은 데이터를 수정할 수 없습니다. 즉, 고정된 모습으로 쓰기 위해 만듭니다.

그림 9-4 리스트와 사용법이 비슷한 튜플. 단, 튜플은 데이터를 수정할 수 없다.

02 반복문 1 - for문

대표적인 반복문에는 for문과 while문이 있습니다. 먼저 for문을 배워보겠습니다. for문은 주로 리스트와 함께 사용합니다. 그리고 문법이기 때문에 규칙이 있습니다. 그림 9-5를 함께 봐주세요. 조건문이 if로 시작한 것처럼 for문은 for로 시작합니다. for 다음에는 변수명을 적습니다.* 그다음 in을 쓰고, 리스트**를 적습니다. 마지막에는 콜론(:)을 넣습니다. 엔터를 누르면 한 줄 아래로 내려가면서 탭(Tab)만큼 자동

리스트에 있는 **0번째 데이터**를 넣어서 코드를 실행해
리스트에 있는 **1번째 데이터**를 넣어서 코드를 실행해
⋮
리스트에 있는 **마지막 데이터**를 넣어서 코드를 실행해

그림 9-5 for문의 사용 규칙

---

* 변수명은 사용자가 정할 수 있습니다.
** 리스트 외에도 반복 가능한 객체라면 무엇이든 올 수 있습니다.

으로 들여쓰기가 됩니다. 이 상태에서 반복할 동작을 코드로 작성합니다. 들여쓰기가 되어 있는 상태에서 작성된 코드, 즉 내부 코드는 for문 안에서만 동작합니다. 이렇게 for문을 작성하면 리스트에 있는 데이터를 하나씩 가져와 변수에 담고, 그 아래 내부 코드를 반복해서 실행합니다.

for문은 언제 사용하면 좋을까요? 아래 이미지에는 ❶ 할 일 목록이 리스트에 담겨 있고, ❷ 그 밑에 각 목록을 터미널에 출력하기 위한 코드가 적혀 있습니다. 그런데 자세히 보니, 같은 코드를 여섯 번 반복해서 썼습니다. 지금은 데이터가 몇 개 되지 않아 괜찮지만, 만약 데이터가 수십, 수백 개로 늘어난다면 이러한 방식으로 코드를 작성하는 것은 엄청난 비효율을 초래합니다. 그렇다면 어떻게 코드를 작성해야 할까요?

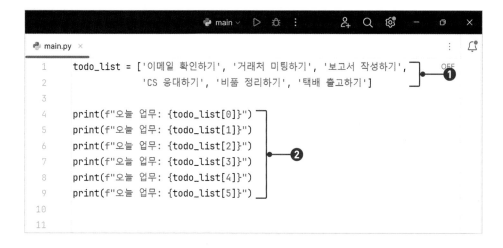

이 문제는 for문으로 간단하게 해결이 가능합니다. for문이 시작되는 네 번째 줄을 봐주세요.

❶ for 다음에는 변수명(todo)을 적습니다. in 다음에는 반복 가능한 객체가 나와야 하므로 리스트를 담은 변수인 todo_list를 적어주었습니다. 리스트에 있는 데이터를 하나씩 가져와 변수(todo)에 담은 후, 그 아래 내부 코드를 반복해서 실행하라는 의미입니다. for문은 리스트에 담긴 데이터의 개수만큼 반복됩니다. 리스트에 총 여섯 개의 데이터가 담겼으니, 이 for문은 총 여섯 번 반복되겠네요. 마지막으로 콜론(:)을 적고 엔터를 누르자, 한 줄 아래로 내려가면서 들여쓰기가 되었습니다.

❷ 다섯 번째 줄에는 for문의 내부 코드, 즉 여섯 번을 반복하며 어떤 동작을 실행할지가 적혀 있습니다. print 함수와 접두사 f를 사용해 변수 todo에 담긴 목록들이 하나씩 출력되도록 했습니다. 정리하면 이 코드는 아래와 같은 의미를 담고 있습니다.

리스트의 0번째 데이터를 {todo}에 넣고, 터미널에 출력해

리스트의 1번째 데이터를 {todo}에 넣고, 터미널에 출력해

리스트의 2번째 데이터를 {todo}에 넣고, 터미널에 출력해

리스트의 3번째 데이터를 {todo}에 넣고, 터미널에 출력해

리스트의 4번째 데이터를 {todo}에 넣고, 터미널에 출력해

리스트의 5번째 데이터를 {todo}에 넣고, 터미널에 출력해

실행 버튼을 누르면 터미널에 할 일 목록이 순서대로 출력됩니다. 할 일 목록이 수십, 수백 개가 되더라도 코드를 단 두 줄만 적으면 되니, 매우 편리합니다.

```
C:\Users\wycho\PycharmProjects\forEx2\.venv\Scripts\python.exe C:\Users\wycho\PycharmProjects\forEx2\main.py
오늘 업무: 이메일 확인하기
오늘 업무: 거래처 미팅하기
오늘 업무: 보고서 작성하기
오늘 업무: CS 응대하기
오늘 업무: 비품 정리하기
오늘 업무: 택배 출고하기

Process finished with exit code 0
```

03 for문의 다양한 활용

1 for문과 if문 함께 사용하기

지난 열흘간의 일기 예보 데이터를 토대로 비나 눈이 오는 날이 며칠인지 통계를 내려고 합니다. 예시 속 데이터는 열 개뿐이지만, 만약 데이터가 수천, 수만 개라면 직접 세는 것이 불가능하겠죠? 다행히 반복문(for)과 조건문(if)을 조합하면 이 문제를 쉽게 해결할 수 있습니다. 어떻게 코드를 작성하면 좋을까요?

맑음, 맑음, 비, 맑음, 눈, 맑음, 비, 눈, 눈, 눈

힌트를 드리겠습니다. 먼저, 데이터를 리스트로 만들어야 합니다. 그리고 if문의 조건이 'A이거나 B'의 형태가 되어야 하죠. 또, 특정 조건에 맞춰서 숫자를 1씩 올려야 합니다. 즉, 일자를 카운팅하는 변수를 지정한 후, 해당 변수를 어느 위치에 놓고 활용할지를 고민해보세요.

일을 시키는 순서, 생각의 흐름!

① 먼저, 요청하려는 일을 순서대로 나눠서 생각해보자.

데이터를 하나씩 불러온 다음 → 해당 데이터가 비 또는 눈인지 확인 → 비 또는 눈

이라면 숫자를 1씩 올리기

② 일기 예보 데이터를 리스트로 만들어서 변수에 담아놓자. 이 데이터를 하나씩 불러오려면 반복문이 필요하겠네.

③ 리스트로 불러올 데이터는 날씨 상황이니, 반복문의 변수명은 condition으로 정하면 되겠다.

④ 비 또는 눈인지 확인하려면 조건문이 필요하겠네. if문에서 A 또는 B의 형태를 어떻게 쓰는지 찾아보자.

⑤ 조건에 맞으면 숫자를 1씩 올려야 하는데, 이걸 어떻게 코드로 구현할 수 있을까?

생각의 흐름대로 완성한 코드는 아래와 같습니다. 한 줄씩 해석해볼까요?

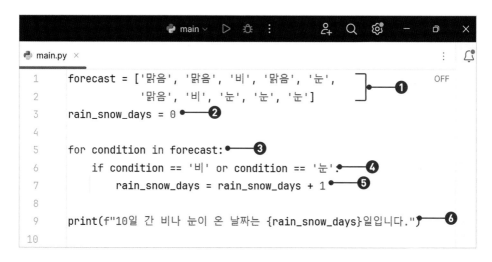

```python
forecast = ['맑음', '맑음', '비', '맑음', '눈',
            '맑음', '비', '눈', '눈', '눈']
rain_snow_days = 0

for condition in forecast:
    if condition == '비' or condition == '눈':
        rain_snow_days = rain_snow_days + 1

print(f"10일 간 비나 눈이 온 날짜는 {rain_snow_days}일입니다.")
```

❶ 먼저 데이터를 리스트로 만들고, 리스트를 변수 forecast에 담았습니다.

❷ 세 번째 줄에서 비나 눈이 온 날을 체크하기 위해 숫자 0을 변수 rain_snow_days에 담았습니다. 이제 비나 눈을 만날 때마다 변수에 1씩 더해 숫자를 올릴 수 있습니다.

```
3    rain_snow_days = 0 ●━━❷

4

5    for condition in forecast: ●━━❸
6        if condition == '비' or condition == '눈': ●━━❹
7            rain_snow_days = rain_snow_days + 1 ●━━❺

8

9    print(f"10일 간 비나 눈이 온 날짜는 {rain_snow_days}일입니다.") ●━━❻
```

❸ 다섯 번째 줄에는 for문이 나옵니다. for문의 변수명을 condition으로 정하고, in 다음에 리스트를 담은 변수인 forecast를 적었습니다. 리스트에 있는 데이터를 하나씩 가져와 condition에 담은 다음, 그 아래 for문 내부 코드를 반복해서(총 열 번) 실행합니다.

❹ 여섯 번째 줄에는 if문이 있습니다. 연산자 == 와 or 을 활용해 리스트의 데이터가 비 또는 눈인지* 묻습니다. 조건이 참이면 if문 내부 코드를 실행하고, 거짓이면 다시 for문으로 돌아갑니다.**

❺ 일곱 번째 줄에는 if문 내부 코드가 적혀 있습니다. 변수 rain_snow_days에 1을 더한 다음, 이를 다시 rain_snow_days에 담았습니다. 세 번째 줄에 있는 변수 rain_snow_days에 담긴 숫자가 0에서 1로 바뀌면서 for문이 다시 시작되고, 조건이 충족될 때마다 변수 rain_snow_days에 담긴 숫자가 1씩 증가합니다.

❻ 아홉 번째 줄에는 for문이 모두 완료된 후 동작할 코드가 적혀 있습니다. print와 접두사 f를 이용해 문자 자료형 안에서 변수(rain_snow_days)에 담긴 데이터가 출력되도록 했습니다.

---

* 코드에 쓰인 or 은 연산자입니다. A or B는 A와 B 둘 중 하나만 참이어도 참이 됩니다. 반면 A and B는 둘 다 참이어야만 참이 됩니다. or과 and처럼 참/거짓을 파악하는 연산자를 논리연산자라고 합니다.
** for문은 내부 코드를 반복해서 실행합니다. 예시에서 for문의 내부 코드는 ❹~❺번입니다. (❺번은 for문의 내부 코드이면서 동시에 if문의 내부 코드입니다.) 즉, 이 for문은 리스트의 0번째 데이터를 담아 ❹번을 실행하고, 조건이 참이면 if문의 내부 코드인 ❺번을 실행, 거짓이면 ❸번으로 돌아와 리스트의 1번째 데이터를 담아 다시 ❹번을 실행합니다. 이렇게 리스트의 모든 데이터를 하나씩 담아 총 열 번을 반복합니다. 그리고 모든 반복이 끝나면 그때 ❻번을 실행합니다.

실행 버튼을 누르자, 터미널에 10일 중 비나 눈이 온 날짜가 며칠인지 표시됩니다.

10일 간 비나 눈이 온 날짜는 6일입니다.

2 중간에 멈추는 break

반복문은 말 그대로 반복되는 문법입니다. 만약, 특정 조건에서 반복문을 멈추게 하려면 어떻게 해야 할까요? break를 이용하면 됩니다. for문 안에서 동작을 반복하다가 break를 만나면 즉시 for문이 종료됩니다.

```
for 변수명 in [ 0, 1, 2, 3, 4 ]:
    ← tab → (변수명 포함) 반복할 동작을 코드로 작성
```

리스트에 있는 0번째 데이터를 넣어서 코드를 실행해
리스트에 있는 1번째 데이터를 넣어서 코드를 실행해
break ←———————————————— **반복 그만!**
                                    for문 종료
(남은 코드)
          ⋮
리스트에 있는 마지막 데이터를 넣어서 코드를 실행해

그림 9-6 반복문의 반복을 멈추는 break

연습 문제를 통해 좀 더 자세히 배워보겠습니다. 아래는 도서관의 보유 도서 목록입니다. 이용자가 도서 이름을 입력하면 해당 도서의 소장 유무를 알려주는 프로그램을 만들려고 합니다. for문과 break를 활용해 코드를 작성해보세요.

백설공주, 어린왕자, 신데렐라, 구운몽, 춘향전

일을 시키는 순서, 생각의 흐름!

① 먼저, 요청하려는 일을 순서대로 나눠서 생각해보자.

이용자에게 도서 이름을 입력받은 다음 → 보유 중인 도서 목록을 가져와서 입력받은 이름과 일치하는지 확인 → 일치하면 "찾으시는 ○○ 도서가 있습니다."를 출력한 후, 반복문을 종료

② 도서 이름을 입력받으려면 앞에서 배운 input 함수가 필요하겠네.
③ 도서 목록을 리스트로 만들어서 변수에 담아놓자. 목록을 하나씩 불러오려면 반복문을 써야겠다.
④ 리스트의 내용물이 책이니까 for문의 변수명은 book으로 하자.
⑤ 입력받은 도서 이름과 보유 중인 도서 목록이 일치하는지 확인하려면 if문이 필요하겠구나.
⑥ if문의 조건이 참이면 "찾으시는 OO 도서가 있습니다."라는 문구를 출력해야지.
⑦ 조건에 맞는 도서를 찾으면 굳이 나머지 도서까지 확인해볼 필요가 없으니 break를 써서 for문을 끝내야겠다.

생각의 흐름대로 완성한 코드는 아래와 같습니다.

❶ 먼저, 도서 목록을 리스트로 만든 다음, 변수 book_list에 담았습니다.

❷ 그다음 input 함수를 이용해 도서 이름을 입력받은 후, 이를 다시 변수 desired_book에 담았습니다. 참고로 for문 앞에 나오는 두 변수(book_list, desired_book)는 어느 것이 먼저 나오든 상관없습니다.

❸ 다섯 번째 줄의 for문을 볼까요? 도서 이름을 불러오므로 변수명을 book으로 정하고, in 다음에는 book_list를 적었습니다. book_list에 있는 도서를 하나씩 가져와 book에 담은 다음, for문 아래 내부 코드를 반복해서(총 다섯 번) 실행합니다.

❹ 여섯 번째 줄에는 if문이 있습니다. 연산자 == 을 활용해 입력받은 도서 이름이 변수명 book에 담긴 도서와 같은지를 묻습니다. 조건이 참이면 if문 아래 내부 코드를 실행하고, 거짓이면 다시 for문으로 돌아갑니다.*

❺ 일곱 번째 줄에는 if문의 내부 코드가 적혀 있습니다. print와 접두사 f를 사용해 문자 자료형 안에서 변수 book에 담긴 도서를 출력합니다.

❻ 마지막 여덟 번째 줄에서는 break를 이용해 반복문을 종료합니다.

---

* for문은 내부 코드를 반복해서 실행합니다. 예시에서 for문의 내부 코드는 ❹~❻번입니다. (❺번과 ❻번은 for문의 내부 코드이면서 동시에 if문의 내부 코드입니다.) 즉, 이 for문은 리스트의 0번째 데이터를 담아 ❹번을 실행하고, 조건이 참이면 if문의 내부 코드인 ❺번과 ❻번을 실행합니다. 이때 ❻번이 break이므로 참일 경우, 반복문은 그대로 종료됩니다. 거짓이면 다시 ❸번으로 돌아와 리스트의 1번째 데이터를 담아 ❹번을 실행합니다.

실행 버튼을 누르자, 터미널에 **찾고자 하는 책을 입력하세요:** 라는 문구가 떴습니다. 책 이름을 적고 엔터를 누르면 도서의 소장 유무를 알려줍니다.

3 남은 코드를 건너뛰고, 다음 반복을 시작하는 continue

break가 반복문을 종료하는 키워드라면 continue는 남은 코드를 실행하지 않되, 반복문은 계속 이어가는 키워드입니다.

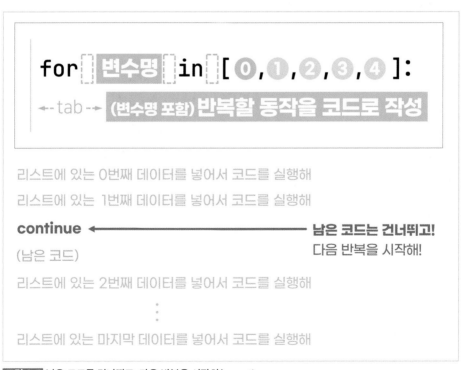

그림 9-7 남은 코드를 건너뛰고, 다음 반복을 시작하는 continue

continue를 이용해 리스트의 데이터 중 홀수만 출력되도록 코드를 만들었습니다.

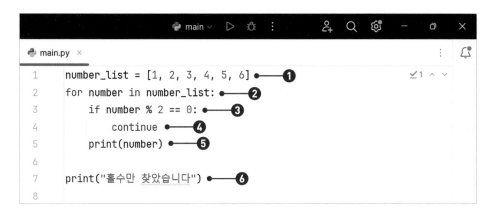

❶ 첫 번째 줄의 리스트에는 1부터 6까지, 총 여섯 개의 숫자가 들어 있습니다. 그리고 이를 변수 number_list에 담았습니다.

❷ 두 번째 줄에는 for문이 나옵니다. 리스트에 담긴 숫자를 하나씩 가져와 변수 number에 담은 후, 그 아래 for문 내부 코드를 여섯 번 반복합니다.

잠시 for문의 구조를 파악해보겠습니다. for문의 내부 코드는 ❸~❺번입니다. (❹번은 for문의 내부 코드이면서 동시에 if문의 내부 코드입니다.) 즉, 이 for문은 ❸~❺번을 반복 실행합니다. 리스트의 데이터를 담아 ❸번을 실행하는데, 조건이 참이면 if문의 내부 코드인 ❹번을 실행하고, 거짓이면 for문의 내부 코드이면서 동시에 if문의 다음 코드인 ❺번을 실행하죠. 그리고 for문의 모든 반복이 끝난 후, ❻번을 실행합니다. 이렇게 구조를 파악하면 반복문을 보다 쉽게 해석할 수 있습니다. 그럼 이제 for문의 내부 코드를 살펴보겠습니다.

❸ 세 번째 줄에는 if문이 나옵니다. 새로운 연산자 % 가 보이네요. % 는 두 수를 나눈 후, 나머지 값을 반환합니다. 어떤 수를 2로 나눈 나머지가 0이면 짝수, 1이면 홀수이므로 홀수와 짝수를 구분할 때 종종 사용합니다. 그다음 == 을 이용해 2로 나눈 나머지 값이 0과 같은지, 즉 number에 담긴 숫자가 짝수인지 묻습니다.

❹ 조건이 참이면 if문 내부 코드인 continue가 실행됩니다. continue는 남은 코드를 건너뛰고, 다음 반복을 시작하는 키워드였죠. 즉, 짝수일 경우 남은 코드를 실행하지 않고(건너뛰고), 다시 for문이 반복됩니다.

```
5            print(number) ●━━❺
6
7    print("홀수만 찾았습니다") ●━━❻
```

❺ 반면, 거짓일 경우 for문의 내부 코드이면서 동시에 if문의 다음 코드인 ❺번이 실행됩니다. 즉, 홀수인 경우, 터미널에 숫자를 출력합니다.

❻ for문이 모두 끝나면 일곱 번째 줄의 코드가 실행됩니다. print를 활용해 출력될 문구를 적어주었습니다.

실행 버튼을 누르자, 터미널에 **1, 3, 5**와 **홀수만 찾았습니다.** 문구가 출력된 것을 볼 수 있습니다.

4 특정 범위의 숫자를 생성하는 range

반복문의 리스트 위치에는 반복 가능한 객체라면 무엇이든 올 수 있습니다. 반복 가능한 객체라는 표현이 어렵게 느껴질 수 있는데요, 지금은 리스트뿐 아니라 다른 요소도 들어갈 수 있다는 점만 기억해두면 됩니다. 반복 가능한 객체를 만들 수 있는 클래스로는 range가 있습니다.

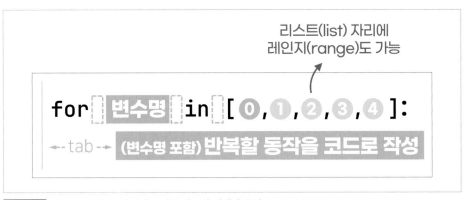

리스트(list) 자리에
레인지(range)도 가능

```
for [ 변수명 ] in [ 0 , 1 , 2 , 3 , 4 ]:
←--tab--→ (변수명 포함) 반복할 동작을 코드로 작성
```

그림 9-8 반복문의 리스트 자리에는 반복 가능한 객체가 온다.

range는 클래스이므로 소괄호( )를 열고 그 안에 매개변수를 넣어 객체로 만들 수 있습니다. 이때 매개변수는 한 개부터 세 개까지 넣을 수 있습니다. 매개변수가 한 개일 때는 0부터 시작해서 매개변수 -1까지의 숫자를 생성합니다. 예를 들어, range(5)는 0부터 4까지를 생성하죠. 매개변수가 두 개일 때는 시작값부터 종료값 -1까지의 숫자를 생성합니다. range(3, 7)이라고 적으면 3, 4, 5, 6을 생성합니다. 매개변수가 세 개일 때는 시작값부터 종료값 -1의 숫자를 생성하되, 마지막 숫자만큼 간격을 둡니다. 예를 들어, range(0, 9, 2)는 0, 2, 4, 6, 8을 생성합니다.

for문과 range는 다양하게 쓰이지만, 같은 크기를 갖는 두 개 이상의 리스트를 동시에 다룰 때에도 유용하게 사용합니다.

아래 두 리스트에는 1월부터 12월까지, 총 열두 개의 달과 해당 달의 강수량(rainfall)이 담겨 있습니다. 강수량이 50mm가 넘는 달을 찾은 후, 그 달에 비가 많이 왔다는 멘트와 함께 강수량을 출력해보겠습니다.

months = ["1월", "2월", "3월", "4월", "5월", "6월", "7월", "8월", "9월", "10월",
"11월", "12월"]
rainfall = [20, 50, 5, 10, 20, 80, 100, 40, 15, 10, 20, 10]

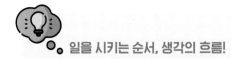

① 요청하려는 일을 순서대로 나눠서 생각해보자.

rainfall 리스트에서 강수량이 50mm가 넘는 데이터를 찾고 → months 리스트에서 동일한 순서에 있는 데이터를 불러온 다음 → 조건을 충족하는 달과 해당 달의 강수량을 함께 출력

② rainfall 리스트의 데이터를 하나씩 불러와야 하므로 for문이 필요하겠다.

③ 강수량이 50mm보다 큰지 작은지 비교하려면 조건문이 필요하겠네.

⑤ print와 접두사 f를 써서 해당 달에 비가 많이 왔음을 알리는 멘트와 함께 강수량을 출력하자.

생각의 흐름대로 완성한 코드는 아래와 같습니다. 굉장히 심플하죠? for문부터 해석해보겠습니다.

```
main.py ×

1   months = ['1월', '2월', '3월', '4월', '5월', '6월',                    OFF
2             '7월', '8월', '9월', '10월', '11월', '12월']
3   rainfall = [20, 50, 5, 10, 20, 80, 100, 40, 15, 10, 20, 10]
4
5   for i in range(12):                                              ❶
6       if rainfall[i] > 50:                                         ❷
7           print(f"{months[i]}은 강수량이 많았던 달입니다. 강수량: {rainfall[i]}mm")   ❸
8
```

❶ for문의 변수명으로는 i*를 썼고, in 다음에는 range를 적었습니다. range의 매개
변수로는 한 개(12)를 넣었네요. range를 이용해 0부터 11까지의 숫자를 만든 뒤, 하
나씩 i에 담고, 그 아래 내부 코드를 반복해서(총 열두 번) 실행한다는 의미입니다.

❷ 여섯 번째 줄에는 if문이 있습니다. 리스트의 데이터를 꺼낼 때는 대괄호[ ]를 쓰
고, 그 안에 데이터의 순서를 적습니다. 대괄호 안에는 i가 있네요. 즉, rainfall[i]는
rainfall 리스트에 있는 데이터를 0번부터 11번까지 꺼내는 코드입니다. 그다음 연산
자 >을 활용해 가져온 데이터가 50보다 큰지 묻습니다. 강수량이 50mm을 넘는 경
우는 여섯 번째에 있는 80과 일곱 번째에 있는 100입니다. 리스트는 0번부터 시작하
니 순서는 5와 6이 되겠네요. 즉, 조건문을 만족하는 i는 5, 6입니다.

❸ 마지막 줄에는 출력할 문구가 적혀 있습니다. print와 접두사 f를 이용해 문자 자
료형 안에서 변수 안에 담긴 데이터를 출력합니다. i는 5와 6이므로 months[i]에
는 months 리스트의 여섯 번째와 일곱 번째 데이터인 6월과 7월이, railfall[i]에는
rainfall 리스트의 여섯 번째와 일곱 번째 데이터인 80과 100이 들어갑니다.

실행 버튼을 누르면 터미널에 아래와 같은 문구가 출력됩니다.

---

* 앞에서 변수명에는 의미를 담아야 한다고 했는데요, 프로그래밍을 하다 보면 i, j, k와 같은 변수명을 만나게
됩니다. 이는 수학(ex. 행렬)에서 관습적으로 쓰던 알파벳을 프로그래밍에서도 그대로 사용한 것입니다. 보통
이런 변수에는 프로그래밍을 할 때 이용하기 위한 '숫자'를 넣습니다.

04
반복문 2 -
무한 반복이 가능한 while문

while문은 조건이 참이면 그 아래 내부 코드가 반복적으로 실행되고, 거짓이면 실행되지 않는 문법입니다. while문의 사용 규칙은 아래와 같습니다.

그림 9-9 while문의 사용 규칙

어떤 경우에 while문을 쓰면 좋을까요? 쇼핑몰에서 상품별 리뷰를 살펴보는 코드를 작성한다고 가정해보죠. A상품은 인기가 많아서 리뷰가 무려 250페이지까지 달려 있습니다. 그리고 B상품은 리뷰가 10페이지까지 달려 있습니다. 이때 for문을 쓰면 상품별로 리뷰 페이지만큼 반복 횟수를 지정해줘야 합니다. 상품이 두 개일 때는 괜찮지만, 수십 개라면 코드가 복잡해지죠. 더 나아가 리뷰는 실시간으로 늘어납니다. 그럼 코드를 계속 수정해줘야 합니다. 반면, while문을 쓰면 마지막 페이지가 나올 때까지 리뷰를 살펴보고, 페이지가 더 이상 없으면 break를 걸어 while문을 끝낼 수 있습니다.

while문은 바로 옆의 조건이 참이면 그 아래 while문 내부 코드를 반복해서 실행합니다. 아래처럼 코드를 작성하고 실행 버튼을 누르면 어떻게 될까요?

옆의 코드가 참(True)이므로 내부 코드인 **무한히 반복됩니다.**라는 문구가 계속 출력됩니다. 중지 버튼을 이용해 요청을 강제로 종료할 때까지 말이죠.

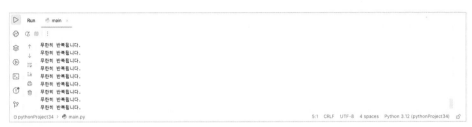

그림 9-10 터미널에 **무한히 반복됩니다**라는 문구가 계속 출력되는 모습

만약 while문을 250번만 반복하고 싶다면 아래처럼 코드를 작성하면 됩니다.

```python
i = 0
```

```python
while i < 250:
    i = i + 1
    print(f"{i}번째 반복 중...")
```

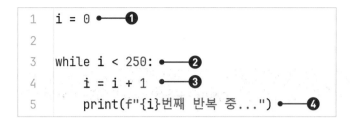

```
1    i = 0 ●────❶
2
3    while i < 250: ●──❷
4        i = i + 1 ●──❸
5        print(f"{i}번째 반복 중...") ●──❹
```

❶ 먼저, 정수 0을 변수 i에 담습니다.

❷ 그다음 while문에서 i가 250보다 작은지 묻습니다. 현재는 i가 0이므로 참에 해당합니다. 조건이 참이므로 while문 내부 코드를 실행합니다.

❸ 첫 번째 내부 코드에서는 변수 i에 1을 더한 후, 그 값을 다시 변수 i에 담았습니다. 이제 i = 1이 되었습니다.

❹ 두 번째 내부 코드에서는 print와 접두사 f를 사용해 문자 자료형 안에서 변수에 담긴 데이터가 출력되도록 했습니다. 현재는 i가 1이므로 **1번째 반복 중**…이라는 문구가 출력됩니다. 그리고 다시 wihle문이 시작되죠. 이렇게 i가 1씩 증가하다가 250이 되면, while 옆의 조건이 거짓으로 바뀌면서 반복문이 종료됩니다.

그림 9-11 총 250번 반복된 반복문의 모습

05 실습 코드 다시 보기

조건문과 반복문을 배웠습니다. 두 번째 실습 코드를 다시 한번 해석해보겠습니다.

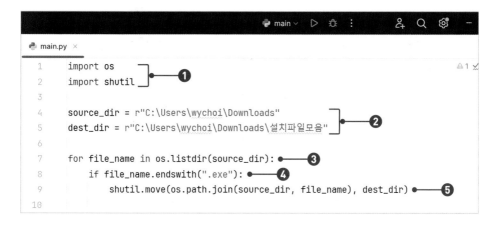

❶ import os는 os 모듈을 불러오라는 의미입니다. os 모듈은 운영체제에서 제공하는 여러 기능을 파이썬에서 수행할 수 있도록 합니다. 그다음 줄의 shutil은 파일 또는 폴더의 관리를 위해 필요한 모듈입니다. os와 shutil 모두 파이썬 내부 라이브러리에 속한 모듈이므로 따로 설치할 필요가 없습니다.

❷ 그다음 다운로드 폴더와 설치파일모음 폴더의 주소를 적고, 각각 변수 source_dir과 dest_dir에 담았습니다.

❸ 일곱 번째 줄에는 for문이 있습니다. 변수명을 file_name이라고 지었네요. in 다음에는 반복 가능한 객체가 나오는데 코드가 다소 복잡합니다. 이 코드의 결괏값이 반복 가능한 객체입니다. 더 살펴보죠. os 모듈이 있고 그 뒤에 점(.)이 찍혀 있습니다. os 모듈 안에 있는 기능을 쓴다는 뜻이죠. 어떤 기능일까요? 소문자로 시작하고 소괄호가 있는 것으로 보아 함수임을 알 수 있습니다. 검색해보니 listdir은 매개변수

```
7      for file_name in os.listdir(source_dir):  ●━━━❸
8          if file_name.endswith(".exe"):  ●━━━❹
9              shutil.move(os.path.join(source_dir, file_name), dest_dir)  ●━━━❺
```

에 담긴 모든 내용물의 이름(폴더명/파일명)을 리스트 자료형으로 반환하는 함수입니다. 매개변수에는 source_dir이 들어가 있네요. 즉, 일곱 번째 줄은 다운로드 폴더의 모든 내용물의 이름을 리스트 자료형으로 받고, 리스트 안에 있는 각각의 데이터를 하나씩 변수(file_name)에 담아 for문의 내부 코드를 실행하라는 의미입니다.

❹ for문 아래에는 if문이 있습니다. for문의 변수인 file_name에 점이 찍혀 있네요. file_name에 있는 기능과 데이터를 쓰겠다는 의미입니다. file_name에는 폴더와 파일의 이름이 문자 자료형의 형태로 담겨 있습니다. 자료형은 클래스이고, 클래스에 담긴 기능과 데이터는 객체를 만들어서 사용할 수 있었죠. file_name은 문자 자료형의 객체입니다. 따라서 점을 찍어 객체의 기능과 데이터를 쓸 수 있습니다. 그럼 점을 찍어 불러낸 endswith는 무엇일까요? 소문자로 시작하고, 뒤에 소괄호가 나오는 것으로 보아 메서드임을 알 수 있습니다. 찾아보니 endswith는 매개변수에 넣은 문자로 끝나는지 확인하는 기능을 갖고 있네요. 매개변수에 설치파일의 확장자인 .exe를 넣었으므로, 변수 file_name에 담긴 데이터를 하나씩 보면서 확장자가 .exe라면

(조건이 참이면) 그 아래 if문 내부 코드를 실행합니다.

❺ 마지막은 if문 내부 코드입니다. 조금 복잡하게 느껴지지만 하나씩 뜯어보면 구조가 보입니다. shutil 모듈에 점을 찍고 그 안에 있는 move 함수를 사용했습니다. 검색해보니 move 함수는 파일을 옮기는 기능이 있네요. 두 개의 매개변수를 받는데, 첫 번째 매개변수에는 옮기고자 하는 폴더나 파일의 경로를, 두 번째 매개변수에는 이동할 목적지 폴더의 경로를 적습니다. 괄호 안에 콤마를 기준으로 앞에 있는 것이 첫 번째 매개변수, 뒤에 있는 것이 두 번째 매개변수가 되겠네요. 두 번째 매개변수 dest_dir은 설치파일모음 폴더의 주소, 즉 목적지 폴더의 주소로 비교적 심플합니다. 다만, 첫 번째 매개변수는 그 안에 또 함수가 들어 있어 조금 복잡하네요. 하나씩 보겠습니다.

첫 번째 매개변수에는 이동할 파일의 주소가 들어가야 합니다. 그런데 파일의 주소는 위의 이미지처럼 폴더 경로와 파일 이름이 결합된 형태입니다. 즉, 첫 번째 매개변수에는 폴더 경로와 이동할 파일의 이름을 결합해서 넣어야 합니다.

이를 위해 os 모듈에 점을 찍고 path 모듈을 불러왔습니다. 그리고 path 뒤에 또 점을 찍어 join 함수를 사용했습니다. 찾아보니 join 함수는 두 매개변수의 주소를 받아 하나로 합치는 기능을 가지고 있네요. join 함수의 첫 번째 매개변수로 폴더 주소인 source_dir을, 두 번째 매개변수로는 파일 이름이 담긴 file_name을 넣어 이동할 파일의 주소를 만들었습니다. 이 주소가 바로 move 함수의 첫 번째 매개변수입니다. 정리하면, 마지막 줄의 코드는 move 함수를 이용해 .exe 확장자를 가진 파일을 목적지 폴더로 옮기는 역할을 수행합니다.

처음에는 외계어처럼 보였던 코드가 눈에 들어오시죠? 이렇게 코드를 해석할 수 있어야 나중에 코드도 잘 작성할 수 있습니다.

1. 실행 버튼 옆에 있는 벌레 모양의 버튼은 무엇인가요?

프로그램에 오류가 발생한 상황을 버그(bug)라고 표현하고, 이를 해결하는 과정을 디버그(debug)라고 부릅니다. 앞서 오류를 에러, 버그로 함께 표기한 이유입니다. 벌레 모양 아이콘(⚙)은 버그를 해결할 때 사용하는 디버깅(debugging) 버튼입니다. 책에서는 열 줄 미만의 짧은 코드를 다루므로 오류가 있어도 쉽게 발견할 수 있습니다. 하지만 실제 상황에서는 코드가 수백, 수천 줄로 길고 그 코드들이 여러 파일(#모듈)에 나뉘어 있어 오류를 찾아내는 것이 쉽지 않습니다. 특히 덧셈을 시켰는데 곱셈이 되는 것처럼 의도와 다르게 요청이 수행되었지만, 코드 자체에는 오류가 없어 터미널에 요청이 잘 수행되었다는 문구(Process finished with exit code 0)가 뜨는 상황이라면 오류를 찾기가 더더욱 힘들죠.

물론 print를 넣어 중간에 진행 상황을 체크할 수도 있습니다. 하지만 코드가 길어질수록 작업이 번거롭고, 실행 결과를 확인하기 위해 전체 코드를 동작해야 하는 단점이 있죠. 이럴 때 사용할 수 있는 기능이 바로 디버그입니다. 파이참에서 제공하는 디버그 기능을 쓰면 방대한 코드 속에서 원하는 부분만 확인할 수 있고, 어느 부분에서 오류가 발생했는지 쉽게 찾아낼 수 있습니다.

디버그 작업을 할 때는 브레이크포인트(Breakpoint)를 씁니다. 코드 입력창 왼쪽의 줄 번호를 마우스로 클릭하면 빨간색 원이 생깁니다. 이 원이 바로 브레이크포인트입니다. 다른 말로는 중단점이라고도 합니다.

브레이크포인트는 "이 줄의 코드를 실행하기 전에 멈춰!"를 의미합니다. 예를 들어, 세 번째 줄에 브레이크포인트를 설정하고, 디버그 버튼(🐞)을 누르면 두 번째 줄까지 코드가 실행된 후, 동작을 멈춥니다. 덕분에 프로그래머는 기존 코드에 오류가 있는지 천천히 살펴볼 수 있습니다. 디버그에는 브레이크포인트 외에도 여러 기능이 있지만, 지금은 이 정도의 개념만 알고 있어도 충분합니다.

2. 클래스는 대문자로, 함수는 소문자로 시작한다고 하셨는데요, range는 클래스인데 왜 소문자로 시작하나요?

range는 파이썬 초기 버전부터 있었던 내부 코드입니다. 처음부터 소문자를 사용했기에 지금도 소문자로 쓰고 있죠. 이러한 코드들을 built-in types라고 합니다. 문자(str), 정수(int), 리스트(list) 등이 모두 built-in types입니다. 참고로 이러한 내부 코드들은 import를 사용하지 않고도 바로 쓸 수 있습니다.

3. 생성형 AI는 반복문을 루프(loop)라고 부르던데, 이 둘은 같은 개념인가요?

네, 반복문의 영어 표현이 루프(loop)입니다. 생성형 AI는 영문을 한글로 번역해서 답변하기 때문에 종종 'for 루프', 'while 루프'와 같은 표현을 씁니다. 이런 표현을 접하면 당황하지 말고, '반복문이구나.'라고 생각하면 됩니다. 일반적으로 루프보다는 for문, while문이라는 표현을 더 많이 사용합니다.

제10장

딕셔너리

지금까지 문자(str), 정수(int), 실수(float), 참/거짓(bool), 리스트(list)
이렇게 다섯 가지 자료형을 배웠습니다.
10장에서는 책에서 배울 마지막 자료형인 딕셔너리(dict)를 공부합니다.

10장 영상 강의   **10장 관련 질문**   **10장 코드**

01 키와 값을 저장하는 딕셔너리

딕셔너리는 사전이란 뜻이죠. 사전에서 'book'이라는 단어를 찾으면 '책'이라는 뜻이 쌍으로 나옵니다. 파이썬에서 딕셔너리는 단어와 뜻 대신 키(key)와 값(value)을 저장하는 자료형(#타입)을 말합니다. 문자 자료형(string)을 str로 줄여서 표기한 것처럼 딕셔너리(dictionary)도 dict라고 줄여서 표기합니다.

딕셔너리의 사용 규칙은 다음과 같습니다. 먼저, 중괄호{ }를 적습니다. 그 안에는 데이터의 키와 값이 쌍으로 들어가는데 키를 앞에, 값을 뒤에 적습니다. 그리고 키와 값은 콜론(:)으로 구분합니다. 키와 값 뒤에 콤마를 적으면 또 다른 키와 값을 생성할 수 있습니다. 즉, 딕셔너리 안에서 계속 키와 값을 만들 수 있습니다.

그림 10-1 키와 값을 저장하는 딕셔너리의 사용 규칙

키와 값은 0개(비어 있는 딕셔너리)부터 여러 개까지 자유롭게 구성할 수 있습니다. 키에는 문자(str), 정수(int), 실수(float), 참/거짓(bool) 등 변하지 않는 자료형을 쓰는데, 소수점을 표현하는 실수 자료형은 권장하지 않습니다. 우리가 사용하는 십진수의 실수 중 일부는 컴퓨터가 사용하는 이진수(0 혹은 1)로 정확하게 표현할 수 없기 때문입니다. 예를 들어, 다음 코드를 실행하면 어떤 값이 나올까요?

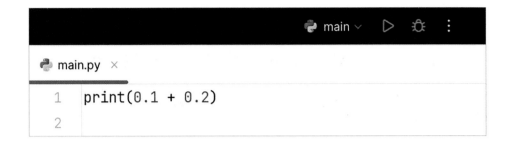

```
🐍 main ∨   ▷   🐞   ⋮

🐍 main.py  ×

1    print(0.1 + 0.2)
2
```

우리의 상식으로는 0.3이 나와야 합니다. 하지만 실제로는 0.30000000000000004가 나옵니다. 이런 문제를 부동소수점 오차라고 부릅니다. 이런 오차 때문에 딕셔너리의 키로는 보통 문자나 정수 자료형을 많이 사용합니다. 단, 값에 들어가는 자료형에는 제한이 없습니다.

그림 10-2 0.1과 0.2를 더하자 0.30000000000000004가 나오는 모습

딕셔너리는 어떤 경우에 쓸 수 있을까요? 홈페이지에서 아이디와 패스워드를 입력받는 상황을 가정해보죠. 단순히 순서만 나타내는 리스트(list)로는 어떤 문자가 아이디이고, 어떤 문자가 패스워드인지를 표시할 수 없습니다. 이 문제는 키와 값으로 데이터를 구분하는 딕셔너리로 해결이 가능합니다. 다음 장에 있는 코드를 볼까요?

키에 id(아이디)와 pw(패스워드)를 넣고, 각 키에 해당하는 값에 실제 아이디와 패스워드인 wychoi, 1234를 넣은 후, 이를 변수 user에 담았습니다. 이렇게 딕셔너리를 활용하면 데이터를 쉽게 구분할 수 있습니다.

```python
main.py ×
1  user = {"id": "wychoi", "pw": "1234"}
2
```

참고로 딕셔너리는 아래처럼 줄바꿈을 해도 괜찮습니다. 구성 요소만 모두 들어 있으면 됩니다.

```python
main.py ×
1  user = {
2      "id": "wychoi",
3      "pw": "1234"
4  }
5
```

앞서 리스트의 데이터를 꺼낼 때는 대괄호[ ] 안에 0, 1, 2와 같은 순서를 넣었습니다. 그럼 딕셔너리의 값을 꺼내려면 어떻게 해야 할까요? 아래처럼 대괄호를 적고 그 안에 키를 넣으면 됩니다. 즉, 키를 넣으면 값이 반환되는 구조입니다.

```python
main.py ×
1  user = {"id": "wychoi", "pw": "1234"}
2
3  user["id"]
4  user["pw"]
5
```

물론, 이렇게 쓰고 실행 버튼을 누르면 터미널에 요청이 성공적으로 수행되었다는 문구(Process finished with exit code 0)만 뜹니다. 실제 값을 터미널에 출력하려면 아래처럼 print를 넣어줘야 합니다.

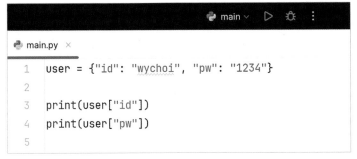

그림 10-3 터미널에 딕셔너리의 값이 출력된 모습

딕셔너리와 반복문을 활용해 간단한 문제를 해결해보겠습니다. 아래는 키에 도서 이름, 값에 재고 수량을 넣은 딕셔너리입니다. for문을 사용해 재고가 다섯 권 미만인 도서를 찾고, 그 도서의 재고 수량을 출력해보세요. (힌트: 딕셔너리는 자료형이고, 파이썬에서 자료형은 클래스입니다. 클래스 안에는 객체로 만들어 이용할 수 있는 다양한 기능(#함수, #메서드)과 데이터(#변수, #프로퍼티, #속성)가 있습니다. 그중 keys( ), values( ), item( ) 기능을 검색해보세요.)

```python
book_stock = {
    "알라딘": 4,
    "신데렐라": 2,
    "비전공자를 위한 이해할 수 있는 IT 지식": 8,
    "백설공주": 3
}
```

💡 일을 시키는 순서, 생각의 흐름!

① 먼저, 요청하려는 일을 순서대로 나눠서 생각해보자.

재고가 다섯 권 미만인 도서를 찾고 → 해당 도서의 이름과 재고 수량 출력

② 재고가 다섯 권 미만인 도서를 찾으려면, 도서 이름(키)과 재고 수량(값)을 불러와야 하네. 어떤 기능을 이용해야 할까?

③ 비교를 위해서는 도서 이름과 재고 수량을 하나씩 불러온 후, 재고 수량이 다섯 권 미만인 도서를 찾아야 해. 그러려면 for문과 if문을 써야겠다.

④ 다섯 권 미만인 도서의 이름과 재고 수량을 출력하려면 print와 접두사 f를 써야 겠네.

②를 해결하기 위해서는 힌트로 드린 keys( ), values( ), item( ) 기능을 사용할 수 있어야 합니다. 먼저, keys( )는 딕셔너리의 모든 키를 반환합니다. 아래 코드를 볼까요?

```python
book_stock = {
    "알라딘": 4,
    "신데렐라": 2,
    "비전공자를 위한 이해할 수 있는 IT 지식": 8,
    "백설공주": 3
}                                         ❶

for key in book_stock.keys():             ❷
    print(key)                            ❸
```

❶ 먼저, 도서 이름과 재고 수량이 담긴 딕셔너리를 변수 book_stock에 담았습니다.

❷ 여덟 번째 줄은 반복문입니다. for 다음에는 변수명, in 다음에는 반복 가능한 객체가 옵니다. 딕셔너리는 클래스이고, 딕셔너리가 담긴 book_stock은 객체입니다. 객체인 book_stock에 점(.)을 찍어 딕셔너리의 메서드인 keys( )를 활용했습니다. 이제 딕셔너리의 키를 하나씩 가져와 변수(key)에 담고, 그 아래 for문 내부 코드를 반복해서 실행합니다.

❸ 아홉 번째 줄에는 반복할 코드가 적혀 있습니다. print를 활용해 변수(key)를 출력하고 있네요. 실행 버튼을 누르면 딕셔너리에 있는 모든 키가 터미널에 출력됩니다.

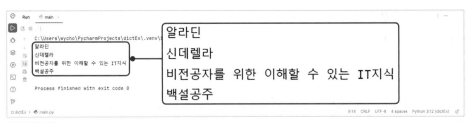

그림 10-4 keys( )를 활용해 딕셔너리의 모든 키를 출력한 모습

values( )는 딕셔너리의 모든 값을 반환합니다. 위 코드에서 ❶ keys 대신, values를 넣고 실행 버튼을 누르자, 딕셔너리에 있는 모든 값이 터미널에 출력되었습니다.

```python
book_stock = {
    "알라딘": 4,
    "신데렐라": 2,
    "비전공자를 위한 이해할 수 있는 IT 지식": 8,
    "백설공주": 3
}

for value in book_stock.values():    ❶
    print(value)
```

그림 10-5 values( )를 활용해 딕셔너리의 모든 값을 출력한 모습

item( )은 모든 키와 값을 함께 반환합니다. 아래 코드를 볼까요? ❶ for문의 변수명에 key와 value가 있습니다. 이처럼 변수명이 여러 개일 때는 순서대로 적어주면 됩니다. in 다음에는 객체 book_stock에 점을 찍어 items( ) 메서드를 불러왔습니다. ❷ for문 내부 코드에서는 print를 활용해 키(key)와 값(value)을 각각 터미널에 출력했습니다. 실행 버튼을 누르자 키와 값이 순서대로 터미널에 출력됩니다.

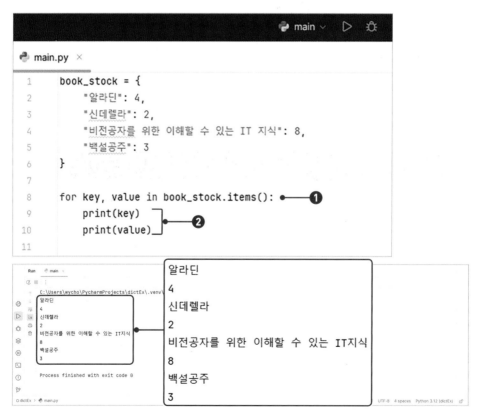

그림 10-6 item( )을 활용해 딕셔너리의 키와 값을 모두 출력한 모습

방금 배운 item( ) 기능과 222페이지에 있는 생각의 흐름을 바탕으로 작성한 코드는
다음과 같습니다.

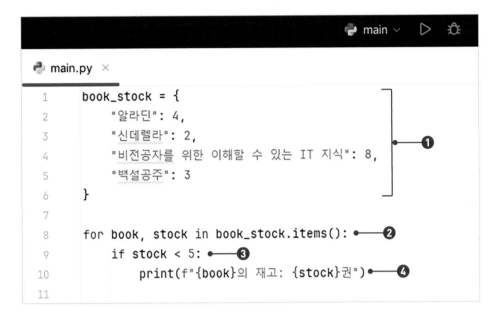

❶ 먼저, 딕셔너리를 변수 book_stock에 담았습니다.

❷ 여덟 번째 줄에서는 for문과 딕셔너리의 기능인 items( )를 활용해 반복문을 만들
었습니다. 딕셔너리에 있는 모든 키와 값을 쌍으로 가져와 for문의 변수(book, stock)
에 담고, for문 내부 코드를 반복해서 실행합니다.

❸ 아홉 번째 줄에는 if문이 있습니다. 연산자 < 을 활용해 재고 수량(stock)이 다섯
권 미만인지 묻습니다. 다섯 권 미만이면 참이므로 if문 내부 코드를 실행하고, 다섯
권 이상이면 거짓이므로 다시 for문으로 돌아갑니다.

❹ 열 번째 줄에서는 print와 접두사 f를 사용해 문자 자료형 안에서 변수에 담긴 데
이터를 표현했습니다. 변수 book에는 도서 이름(key)이, stock에는 해당 도서의 재
고 수량(value)이 표시됩니다.

실행 버튼을 누르면 재고가 다섯 권 미만인 도서와 해당 도서의 재고 수량이 터미널에 출력됩니다.

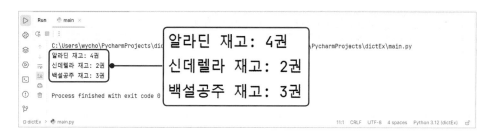

비전공자를 위한 이해할 수 있는 파이썬

1. 코드를 작성하다 보면 빨간색 밑줄이나 노란색 전구와 같은 기호들을 만나게 됩니다. 대표적인 기호와 해당 기호의 의미를 알려주세요.

빨간색 밑줄(혹은 빨간색 가로 줄)

반드시 고쳐야 하는 에러를 나타냅니다. ❶ 아래 코드를 보면 함수 뒤에 소괄호( )가 닫혀 있지 않습니다. 이 부분을 수정하지 않으면 코드가 동작하지 않습니다. 그래서 파이참이 해당 부분에 빨간색 밑줄을 그었습니다. 소괄호를 닫아주면 빨간색 밑줄은 사라지고, 코드도 정상적으로 동작합니다.

노란 블록(혹은 노란색 가로 줄)

코드를 실행하는 데는 문제가 없으나, 개선이나 주의가 필요한 코드를 표시합니다.

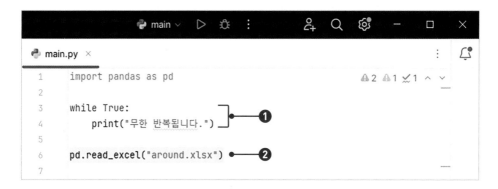

❶ 세 번째, 네 번째 줄의 코드를 실행하면 터미널에 **무한 반복됩니다.** 라는 문구가 무한히
출력됩니다. 이 코드들이 끝나지 않기 때문에 ❷ 그 아래에 어떤 코드를 적더라도 해당 코
드는 실행이 되지 않습니다. 이에 파이참이 노란 블록으로 표시를 해주었습니다.

회색 밑줄

반드시 고쳐야 하는 것은 아니지만, 추천할 만한 개선사항을 알려줍니다. 아래 왼쪽 이미지를 보면 코드가 위·아래로 빽빽하게 붙어 있습니다. 그래서 회색 밑줄을 그어 오른쪽 이미지의 코드처럼 줄바꿈할 것을 추천하고 있습니다.

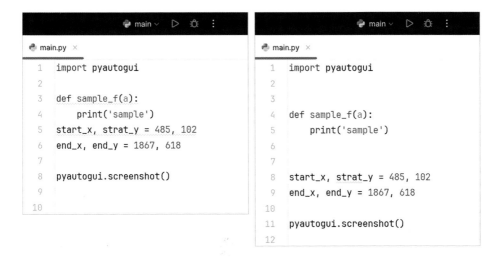

전구

빨간색 전구는 코드의 수정을 제안합니다. ❶ import 없이 os 모듈을 사용하자, 빨간색 전구가 떴습니다. ❷ 전구를 누르니 이 문제를 해결할 수 있는 여러 옵션이 나옵니다.

❸ 오른쪽에 있는 import os를 선택하자 파이참이 코드를 수정해주었습니다.

노란색 전구는 코드가 동작은 하지만, 개선이나 주의가 필요한 상황을 알려줍니다. 아래는 판다스 패키지(#라이브러리)의 read.excel 함수를 이용해 "around.xlsx" 파일을 불러오는 코드입니다. ❶ 이때, 두 번째 줄에 있는 import os는 요청을 수행하는 데 아무 관계가 없는 코드입니다. 즉, 불필요한 코드입니다. 그래서 노란색 전구로 이러한 상황을 알려주고 있습니다.

❷ 노란색 전구를 클릭하자 이 상황을 개선할 수 있는 옵션이 나옵니다. ❸ Optimize imports를 선택하니 자동으로 두 번째 줄 코드가 삭제됩니다.

예시에서 볼 수 있듯, 빨간색은 반드시 고쳐야 하는 코드, 노란색은 개선 혹은 주의가 필요한 코드를 나타냅니다. 이렇게 같은 색의 기호들은 서로 비슷한 의미를 담고 있다는 점까지 함께 알아두면 좋습니다.

네 번째 실습

업무를 하다 보면 화면 캡처가 필요한 순간이 있습니다.
매일 동일한 시간대에 특정 화면을 캡처해야 하거나
캡처해야 할 양이 많다면 자동화하는 것이 좋겠죠.
네 번째 실습에서는 파이썬을 이용해 화면을 캡처하는 방법을 알아보고,
5초 간격으로 12장의 스크린샷을 찍은 다음
지정된 폴더에 저장하는 과정을 진행해보겠습니다.

네 번째 실습 영상 강의

네 번째 실습 관련 질문

네 번째 실습 코드

01 생성형 AI를 활용해 스크린샷 코드 만들기

생성형 AI에게 스크린샷을 찍는 코드를 요청합니다.

 You
파이썬으로 스크린샷을 찍고 싶어, 알맞은 코드를 작성해줘.

생성형 AI가 아래처럼 답변을 주었습니다. 답변을 살펴볼까요?

ChatGPT
파이썬으로 스크린샷을 찍기 위해서는 pyautogui 라이브러리가 필요합니다.
터미널 또는 프롬프트에 다음 명령어를 입력해 pyautogui 라이브러리를 설치하세요.

```
pip install pyautogui
```

그리고 아래 코드를 복사하여 실행하세요.

```python
import pyautogui

# 스크린샷 찍기
screenshot = pyautogui.screenshot()

# 스크린샷 저장하기
screenshot.save('screenshot.png')
```

01 스크린샷을 찍으려면 pyautogui 패키지(#라이브러리)가 필요하다는 내용이네요. 우리는 이미 패키지를 설치하는 두 가지 방법을 배웠습니다. 파이참 왼쪽 하단 메뉴의 터미널(Terminal) 버튼을 클릭해 명령어를 직접 입력하거나 파이썬 패키지(Python Packages) 버튼을 클릭한 뒤 검색해 설치할 수 있었죠. 생성형 AI는 터미널에 명령어를 입력하는 방법을 알려주네요. 생성형 AI가 만들어준 첫 번째 명령어를 복사해서 터미널에 붙여넣고 엔터를 눌러 pyautogui 패키지를 설치합니다.

02 설치가 완료되면 생성형 AI가 만들어준 두 번째 코드를 코드 입력창에 붙여넣으세요. 코드를 해석해보겠습니다.

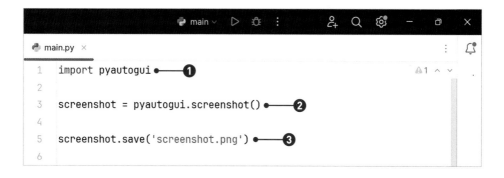

❶ 첫 번째 줄에서는 import를 이용해 pyautogui 패키지를 불러왔습니다.

❷ 세 번째 줄에서는 pyautogui 패키지의 기능(#함수)을 쓰기 위해 점(.)을 찍고 screenshot 함수를 불러왔습니다. 소괄호( )가 비어 있는 것으로 보아 매개변수 없이도 동작하는 함수임을 알 수 있습니다. 그다음 함수의 리턴값(#결괏값, #반환값)을 변수 screenshot에 담았습니다.

```
5    screenshot.save('screenshot.png') ●————❸
```

❸ 변수 screenshot에는 screenshot 함수의 리턴값이 담겨 있습니다. 이 리턴값은 객체입니다. 따라서 점을 찍어 기능(#함수, #메서드)을 쓸 수 있죠. 위 코드에서는 점을 찍어 save 메서드를 사용했습니다. 그리고 매개변수에 문자(str) 자료형(#타입)인 screenshot.png를 넣었습니다. 메서드의 이름과 매개변수를 봤을 때 save는 파일을 저장하는 기능 같습니다.

실행 버튼을 누르자, 터미널에 Process finished with exit code 0 문구가 떴습니다. 그리고 왼쪽 프로젝트 폴더 아래 screenshot.png 파일이 생성되었습니다.

비전공자를 위한 이해할 수 있는 파이썬

❶ 파일을 더블클릭하면 ❷ 코드 입력창에 스크린샷 파일이 뜹니다.

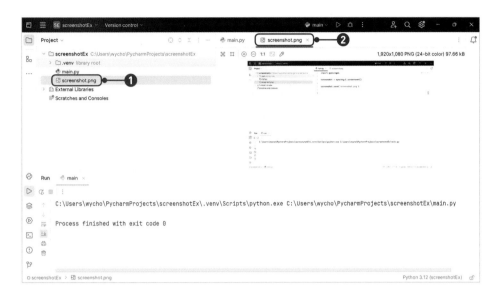

파일 원본은 프로젝트 폴더 안에 저장됩니다. ❶ screenshot.png 파일에 마우스를 가져다대고 오른쪽 버튼을 누른 다음 ❷ Open in → ❸ Explorer를 차례대로 클릭하면 ❹ 파일 원본을 볼 수 있습니다.

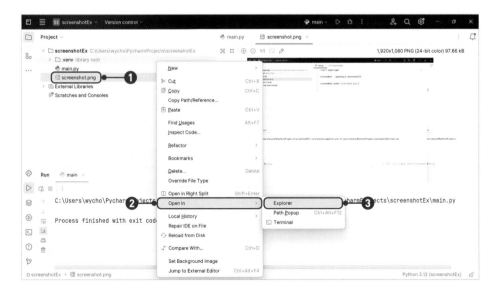

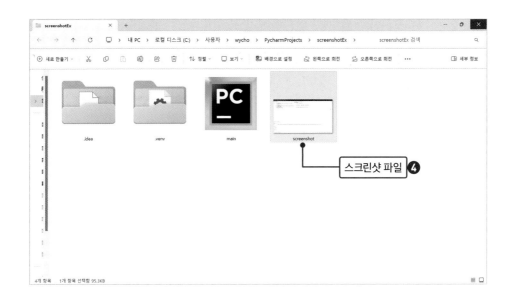

스크린샷 파일 ④

02 5초 간격으로 스크린샷 찍고 지정된 폴더에 저장하기

이번에는 5초 간격으로 12장의 스크린샷을 찍고 지정된 폴더에 파일을 저장하는 실습을 해보겠습니다. 먼저, 생성형 AI에게 코드를 요청합니다.

 You
파이썬을 이용해 5초 간격으로 총 1분 동안 12장의 스크린샷을 찍고, 지정된 폴더에 파일을 저장하고 싶어. 코드를 만들어줘.

그러자 아래처럼 답변을 주었습니다.

ChatGPT
다음은 5초 간격으로 총 12장의 스크린샷을 찍는 코드입니다.

```python
import pyautogui
import os
import time

folder_path = "스크린샷"
os.makedirs(folder_path, exist_ok=True)

for i in range(12):
    file_name = f"screenshot_{i + 1}.png"
    file_path = os.path.join(folder_path, file_name)
    screenshot = pyautogui.screenshot()
    screenshot.save(file_path)
    print(f"스크린샷 저장: {file_path}")
    time.sleep(5)

print("프로그램이 종료되었습니다.")
```

코드를 복사한 후, 코드 입력창에 붙여넣습니다. 한 줄씩 해석해보겠습니다.

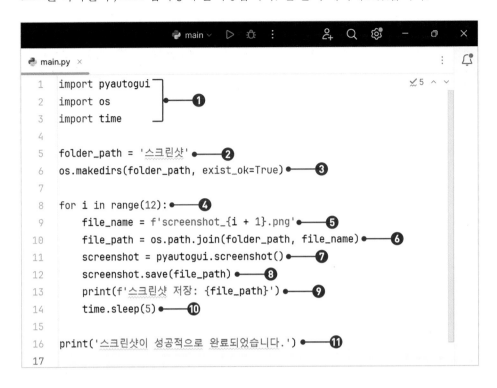

❶ 첫 번째 줄에서는 pyautogui 패키지를, 두 번째와 세 번째 줄에서는 os와 time 모듈을 불러왔습니다. 그런데 우리는 os와 time 모듈을 설치한 적이 없습니다. 즉 os와 time은 파이썬 내부 라이브러리에 있는 모듈입니다.

❷ 다섯 번째 줄에서는 스크린샷이라는 문자 자료형을 변수 folder_path에 담았습니다. 변수명으로 보아, 스크린샷은 폴더명으로 쓰일 것 같습니다.

❸ 여섯 번째 줄에서는 os 모듈 뒤에 점을 찍고, makedirs 함수를 썼습니다. 검색해보니 makedirs는 매개변수를 폴더로 생성해주는 함수입니다. 위 코드에서는 두 개의 매개변수를 받았네요.

첫 번째 매개변수로는 folder_path를 넣었습니다. 변수 folder_path에는 '스크린샷'이 담겨 있죠. 스크린샷이라는 폴더가 생성될 것임을 유추해볼 수 있습니다. 그렇다면 두 번째 매개변수는 어떤 의미일까요? 컴퓨터 시스템상 폴더 이름은 중복이 불가

합니다. exist_ok는 이러한 상황을 제어하는 코드입니다. 같은 이름을 가진 폴더가 있을 때, 매개변수에 exist_ok=False를 넣으면 에러(#오류, #버그)가 발생합니다. 반면, exist_ok=True를 넣으면 새롭게 폴더를 생성하지 않고 이미 있는 폴더를 사용합니다.

❹ 여덟 번째 줄에서는 앞에서 배운 for문과 range가 나옵니다. for문의 변수명을 i로 정하고, in 다음에 오는 range의 매개변수는 한 개(12)를 넣었습니다. 0부터 11까지의 숫자를 생성한 뒤, 이를 하나씩 변수 i에 담고, 그 아래 for문 내부 코드를 반복해서(총 열두 번) 실행한다는 의미입니다.

❺ 아홉 번째 줄을 볼까요? 왼쪽에 변수 이름이 file_name이고, 오른쪽에 확장자 .png가 있는 것으로 보아 파일의 이름을 정하는 코드 같습니다. 파일의 이름을 문자 자료형으로 적고, 접두사 f를 이용해 그 안에 변수(i)에 1을 더한 값(i+1)을 넣었습니다. 즉, 파일 이름은 screenshot_1.png, screenshot_2.png…가 됩니다.

❻ 열 번째 줄에서는 os 모듈 뒤에 점을 찍어 path 모듈을 불러오고, 그 뒤에 다시 점을 찍어 join 함수를 썼습니다. join 함수는 두 매개변수의 주소를 받아 하나로 합치는 기능이 있었죠. 위 코드에서는 첫 번째 매개변수로 폴더 이름, 두 번째 매개변수로 파일 이름을 넣었습니다. 폴더 이름과 파일 이름이 결합해 파일의 주소가 생성되었습니다.

❼ 열한 번째 줄도 이미 배운 코드입니다. pyautigui 패키지에 있는 screenshot 함수를 이용해 스크린샷을 찍고, 그 리턴값을 변수 screenshot에 담았습니다.

❽ 열두 번째 줄도 마찬가지입니다. screenshot 함수의 리턴값이 담겨 있는 객체 screenshot에 점을 찍고 스크린샷 파일을 저장하는 save 메서드를 사용했습니다. 그리고 매개변수로는 파일의 주소가 담긴 변수 file_path를 넣었습니다.

❾ 열세 번째 줄에서는 터미널에 출력할 문구를 적습니다. 접두사 f를 활용해 문자 자료형 안에 변수 file_path에 담긴 데이터를 넣었습니다. file_path에는 스크린샷 파일의 주소가 담겨 있죠. 즉, 스크린샷을 저장한 후, 해당 파일의 주소를 터미널에 함께 출력합니다.

```
14          time.sleep(5)  ●——⑩
15
16      print('스크린샷이 성공적으로 완료되었습니다.')  ●——⑪
```

⑩ 열네 번째 줄에서는 time 모듈에 점을 찍고, sleep 함수를 불러왔습니다. time은 시간과 관련된 여러 기능을 제공하는 모듈입니다. 그리고 sleep은 다음 코드를 실행하지 않고 대기하는 함수로, 멈추고 싶은 초만큼의 숫자를 매개변수로 받습니다. 우리는 5초 간격으로 스크린샷을 찍어야 하므로, 5를 적었습니다.

⑪ 마지막 줄에는 반복문이 모두 완료된 후, 실행할 코드가 적혀 있습니다. print를 활용해 '스크린샷이 성공적으로 완료되었습니다.'라는 문구가 출력되도록 했습니다. 실행 버튼을 누르자 5초 간격으로 스크린샷이 찍힙니다. 촬영이 모두 끝나면 터미널에 **스크린샷이 성공적으로 완료되었습니다.**라는 문구와 함께 요청을 성공적으로 수행했다는 문구(Process finished with exit code 0)가 뜹니다. 결과물은 왼쪽 프로젝트 폴더 안에 있는 스크린샷 폴더에서 확인할 수 있습니다.

❶ 스크린샷 폴더에 마우스를 가져다대고 오른쪽 버튼을 클릭한 후, ❷ Open In과 ❸ Explorer를 차례대로 누르면 스크린샷 파일이 저장된 윈도우(혹은 맥OS)의 실제 폴더가 열립니다.

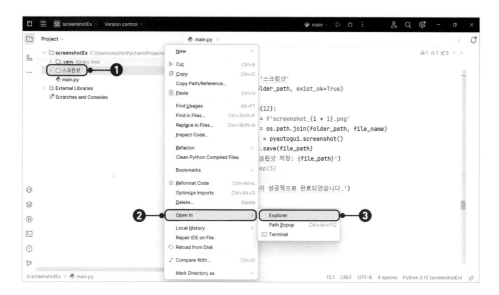

폴더에 12장의 스크린샷 파일이 저장되어 있는 것을 볼 수 있습니다.

1. 생성형 AI를 활용해 실습을 해보니 자신감이 생겼습니다. 혹시 생성형 AI를 더 잘 활용하는 꿀팁이 있을까요?

먼저, 질문을 구체적으로 해야 합니다. 예를 들어, 단순하게 "스크린샷을 찍고 싶은데 어떻게 해야 해?"라고 물으면 PC의 스크린샷 도구로 캡처하는 방법을 알려줍니다. 그러므로 "파이썬을 이용해 5초 간격으로 1분 동안 12장의 스크린샷을 찍고 지정된 폴더에 파일을 저장하고 싶어. 코드를 만들어줘."와 같이 최대한 자세하고 구체적으로 물어보는 것이 좋습니다.

또, 생성형 AI는 주석(#)에 의미를 적어둡니다. 주석을 함께 보면 어떤 코드인지 쉽게 파악할 수 있으니, 주석을 꼼꼼하게 살펴보세요.

ⓢ ChatGPT

파이썬에서 3초마다 마우스 위치를 파악한 후, 터미널에 출력하는 코드를 작성하려면
pyautogui 라이브러리와 time 모듈을 사용하면 됩니다.

```python
import pyautogui
import time

# 3초 대기
time.sleep(3)

# 대기 후 마우스의 현재 위치를 가져옴
x, y = pyautogui.position()

# 마우스 위치 출력
print(f"Mouse position after 3 seconds: X={x} Y={y}")
```

이 코드는 `pyautogui` 라이브러리를 사용하여 마우스의 현재 위치를 가져오고, `time`
모듈을 사용하여 3초 동안 대기한 후에 마우스의 위치를 출력합니다.

실습 4-1 주석(#)으로 의미를 알려주는 모습

마지막으로 이미지를 캡처해서 보여주는 것도 좋은 방법입니다. 생성형 AI는 이미지를 해석할 수 있습니다. 말로는 설명이 어려울 때, 화면을 캡처해서 이미지와 함께 질문하면 더 좋은 답변을 얻을 수 있습니다. 예를 들어, 파이참 세팅 화면에서 어디를 체크해야 하는지 물어보고 싶을 때 이미지와 함께 물어보면 자세하게 알려줍니다.

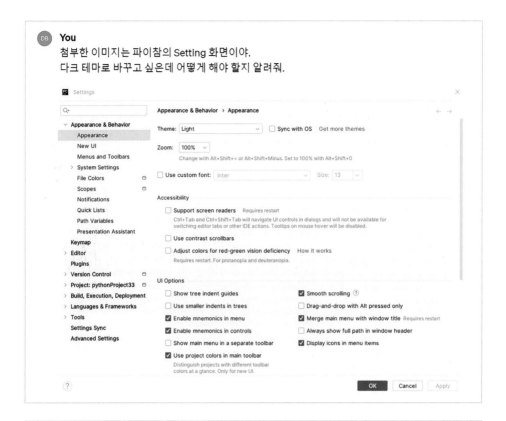

You

첨부한 이미지는 파이참의 Setting 화면이야.
다크 테마로 바꾸고 싶은데 어떻게 해야 할지 알려줘.

ChatGPT

이미지들을 기반으로 다른 테마로 변경하는 방법을 다음과 같습니다:

1. 환경 설정에서 "Theme:"라고 적힌 드롭다운 메뉴를 찾으세요.
2. 그 메뉴를 클릭하여 여러 테마 옵션이 표시될 것입니다.
3. 드롭다운 목록에서 "Dark" 테마를 선택하세요 (예: "Darcula").
4. 선택한 다크 테마를 클릭하고 "Apply" 또는 "OK" 버튼을 눌러 변경사항을 적용하세요.

변경사항을 적용하면 IDE의 인터페이스의 색상이 바로 다크 테마로 전환됩니다.

2. 생성형 AI와 질문과 답변을 주고받을 때, 디렉토리나 경로 같은 용어가 자주 나오더라고요. 어떤 개념인지 설명해주세요.

윈도우나 맥OS와 같은 운영체제는 폴더와 파일로 데이터를 관리합니다. 이때 폴더를 다른 말로 디렉토리라고 부릅니다. 과거 CLI 환경에서는 디렉토리라는 용어를 썼습니다. 그런데 GUI 환경으로 바뀌면서 디렉토리 대신 폴더라는 용어를 사용하기 시작합니다. 그리고 이제는 폴더라는 용어가 더 널리 사용되고 있죠.

특정 파일이나 폴더는 다른 폴더 안에 들어 있습니다. 예를 들면, 앞의 실습에서 스크린샷 파일인 screenshot_1.png은 스크린샷 폴더 안에 들어 있죠. 윈도우에서 파일이나 폴더 안에 들어 있음을 표현하는 기호가 바로 역슬래시(\) 입니다.

스크린샷\screenshot_1.png

그리고 위와 같이 역슬래시(\)를 이용해 폴더와 파일의 구성을 나타낸 것을 주소 또는 경로라고 부릅니다.

총정리

|

지금까지 배운 파이썬 그리고 프로그래밍 세상을 정리해보겠습니다.
중간에 모르는 부분이 있다면 꼭 그 챕터를 다시 읽어주세요.
책을 다 공부한 후, 아래 QR 코드에 접속해 추가 실습과 후속 강의를
들으면 프로그래밍 실력을 더욱 키울 수 있습니다.

추가 실습

후속 강의

1 파이썬 언어와 파이썬 프로그램

파이썬은 프로그래밍 언어입니다. 배우기가 쉽고, 다양한 분야에 활용할 수 있어 널리 쓰이고 있죠. 프로그래밍 언어를 사용해 컴퓨터에게 일을 시키는 사람을 프로그래머(#개발자)라고 부릅니다. 또, 프로그래밍 언어로 문서 작업하는 행위를 프로그래밍(#코딩, #개발)이라고 하죠. 그리고 이렇게 만들어진 문서를 코드라고 합니다.

컴파일러와 인터프리터는 컴퓨터와 인간 사이에서 중간 역할을 합니다. 인터프리터를 사용하는 언어를 인터프리터 언어라고 하는데, 대표적인 인터프리터 언어가 바로 파이썬입니다.

그림 1-4 프로그래머가 프로그래밍 언어로 작성한 코드가 컴퓨터에서 실행되는 과정

프로그램은 운영체제 위에서 동작합니다. 그런데 운영체제마다 지원하는 언어가 다릅니다. 이때 사용자가 PC에 파이썬 프로그램을 설치하면, 윈도우나 맥OS에 관계없이 파이썬 언어로 만든 프로그램이 동작합니다.

그림 1-7 운영체제, 파이썬 프로그램, 파이썬 언어로 만든 프로그램의 관계

비전공자를 위한 이해할 수 있는 파이썬

정리하면, 파이썬은 프로그래밍 언어 그 자체이고, 파이썬 프로그램은 파이썬 언어로 만든 프로그램이 운영체제 위에서 동작할 수 있도록 도와주는 프로그램입니다.

2 문서 작업을 도와주는 도구, 파이참

프로그래밍은 문서 작업입니다. 이때, 문서 작업을 도와주는 편집 프로그램을 통합 개발환경(IDE) 또는 텍스트 에디터(#소스 코드 편집기)라고 합니다. 파이썬 언어로 프로그래밍을 할 때는 주로 파이참(PyCharm)과 비주얼 스튜디오 코드(Visual Studio Code)를 쓰는데, 책에서는 파이참을 사용했습니다.

파이참의 화면 왼쪽에는 폴더와 파일을 관리하는 창이, 오른쪽에는 코드를 작성하는 창이 있습니다. 그리고 하단에는 컴퓨터와 대화하는 창구인 터미널이 있죠.

그림 2 파이참의 화면 구성

컴퓨터를 제어하는 방식에는 크게 두 가지가 있습니다. 하나는 명령어로 제어하는 커맨드 라인 인터페이스(CLI) 방식이고, 다른 하나는 그래픽으로 제어하는 그래픽 유저 인터페이스(GUI) 방식입니다. 운영체제 위에서 CLI를 쓸 수 있는 프로그램들을 통칭해 터미널이라고 하는데, 파이참에는 이 프로그램들이 연결되어 있습니다. 파이참 하단의 박스를 터미널이라고 부르는 이유입니다. 실행 버튼을 누르면, 터미널에 요청이 성공적으로 수행되었다는 문구(Process finished with exit code 0)가 뜹니다. 이때, print를 활용하면 요청 수행의 결과를 터미널에 출력할 수 있습니다.

아래 그림에는 1장과 2장에서 배운 개념들이 정리되어 있습니다. 이 그림이 확실하게 이해되는지 체크해보세요.

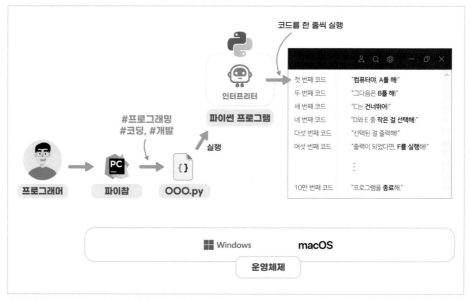

그림 2-12 파이썬으로 컴퓨터에게 일을 시키는 과정

코드의 집합을 패키지라고 합니다. 누군가 만들어둔 패키지를 활용하면 좀 더 수월하게 프로그래밍을 할 수 있죠. 패키지는 크게 파이썬 프로그램을 다운로드할 때 함께 설치되는 파이썬 표준 라이브러리(#패키지)와 별도로 설치해야 하는 외부 라이브러리(#패키지)로 나뉩니다. 이때, pip와 conda 같은 패키지 관리자를 활용하면 패키지의 다운로드와 정리를 쉽게 할 수 있습니다.

그림 3 파이썬 표준 라이브러리(패키지)와 외부 라이브러리(패키지)

패키지를 쓸 때는 버전이 엉키지 않도록 주의해야 합니다. 프로그래머는 이 문제를 가상환경으로 해결합니다. 프로젝트별로 가상환경 폴더를 만들어 따로 관리하면, 서로 다른 버전의 패키지와 프로그램을 엉킴 없이 사용할 수 있습니다.

그림 3-5 프로젝트별로 가상환경 폴더를 만들고, 각각의 폴더에 서로 다른 버전의 패키지와 파이썬 프로그램을 넣은 모습

컴퓨터와 효율적으로 일하기 위해서는 데이터를 분류해서 알려주어야 합니다. 그리고 데이터를 유형별로 구분한 체계를 자료형(#타입, #type)이라고 합니다. 4장에서 공부한 자료형에는 문자(str), 정수(int), 실수(floot), 참/거짓(bool)이 있으며 아래 표와 같이 사용합니다.

문자(#str)	정수(#int)	실수(#float)	참/거짓(#bool)
이 데이터는 문자야!	이 데이터는 소수점이 없는 숫자야!	이 데이터는 소수점이 있는 숫자야!	이 데이터는 참 or 거짓이야!
"큰따옴표"나 '작은따옴표'로 표현	따옴표 없이 숫자 표기	따옴표 없이 숫자 표기	True or False라고 표현 (첫 글자 대문자)

수학에서 변수는 '변하는 수'를 뜻하죠. 반면 프로그래밍에서는 코드를 담는 상자의 개념으로 사용합니다. 그리고 코드를 상자에 담는 것을 '변수를 지정한다' 혹은 '변수에 담는다'라고 표현합니다. 변수를 사용하면 긴 코드를 변수명(상자 이름)으로 짧게 적어줄 수 있고, 수정을 할 때도 상자 안에 담긴 코드만 바꾸면 되므로 매우 편리합니다.

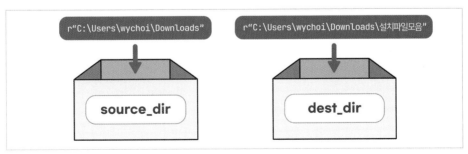

그림 5-1 폴더 주소를 상자에 담고, 상자의 이름을 각각 source_dir, dest_dir로 지었다.

수학에서 = 기호는 '같다'라는 의미지만, 프로그래밍에서는 '할당하라'의 의미입니다. = 을 기준으로 오른쪽에 있는 것을 왼쪽에 할당합니다. = 와 같은 것들을 연산자라고 하는데, 두 개 혹은 그 이상을 비교하는 비교연산자를 포함해 다양한 연산자가 있습니다.

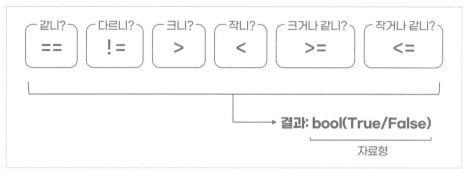

그림 5-3 결괏값이 bool 타입으로 나오는 비교연산자

6 기능을 수행하는 코드를 담고 있는 함수

프로그래머에게는 수정하기 쉬운 코드, 유지보수 하기 쉬운 코드를 만드는 것이 무엇보다 중요합니다. 이때, 코드의 반복을 없애고 유지보수를 쉽게 만들어주는 도구가 있으니 바로 함수입니다. 함수는 특정한 기능을 수행하는 코드의 집합입니다. 예를 들어, type에는 자료형을 알아내는 데 필요한 코드가 들어 있습니다. 덕분에 우리는 긴 코드를 적을 필요 없이 type을 입력해 원하는 기능을 구현할 수 있죠.
함수는 소문자로 시작하며 소괄호( ) 안에 매개변수(#파라미터, #인수, #인자, #argument)를 넣습니다. 그리고 매개변수를 넣어 나온 값을 리턴값(#결괏값, #반환값)이라고 합니다. 그리고 함수마다 사용하는 매개변수의 자료형이 정해져 있습니다. 매개변수로 문자 자료형을 받는 함수가 있고, 문자와 숫자 자료형을 받는 함수가 있죠. 따라서 함수를 쓸 때는 어떤 매개변수를 사용하는지 그 양식까지 함께 파악해야 합니다.

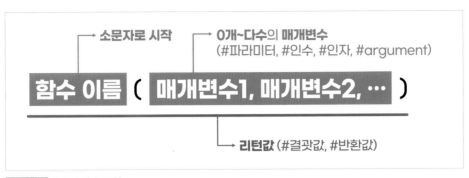

그림 6-3 함수의 사용 규칙

7 객체지향 프로그래밍

코드의 집합을 클래스라고 합니다. 그리고 클래스에는 기능(#함수, #메서드)과 데이터(#변수, #속성, #프로퍼티)가 있죠. 클래스에 실제 정보를 담은 것이 객체이므로 객체에도 기능과 데이터가 있습니다. 객체지향 프로그래밍(Object-oriented programming, OOP)은 코드를 정리하는 방법론 중 하나로, 클래스에 정보(매개변수)를 담아 객체로 만든 후, 이 객체를 활용해 무언가를 구현하는 방식을 말합니다.

그림 7-5/7-6 기능과 데이터가 있는 템플릿 = 클래스(좌), 클래스에 실제 정보를 담아 만든 객체(우)

단, 기초를 배우는 우리는 객체지향으로 프로그래밍을 하는 것보다 기능과 데이터를 잘 쓰는 것이 중요합니다. 기능과 데이터는 점(.)을 찍어 사용하는데, 패키지나 모듈은 바로 뒤에 점을 찍고, 클래스는 객체를 만든 다음 객체 뒤에 점을 찍습니다.

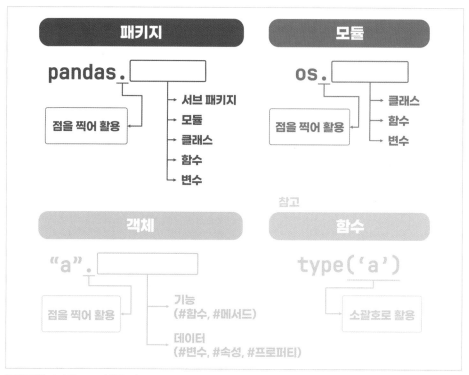

그림 7-7 다양한 요소의 활용법

조건문이란 특정 조건이 참인지 거짓인지를 평가한 후, 이를 이용해 코드를 제어하는 문법입니다. 조건문은 if로 시작하며, 조건이 참이면 if문 아래 내부 코드를 실행하고, 거짓이면 if문의 다음 코드로 넘어갑니다.

그림 8-1 if의 사용 규칙

모든 조건이 참이 아니면 else 내부 코드를 실행하는 else, 이전 조건이 거짓일 때 그 다음 조건을 확인하는 elif와 함께 사용합니다.

그림 8-2/8-3 else(위)와 elif(아래)의 사용 규칙

리스트(list)는 데이터를 순서대로 넣을 수 있는 자료형입니다. 파이썬의 모든 자료형은 클래스이고, 클래스는 객체로 만든 다음 점을 찍어 기능과 데이터를 사용할 수 있었습니다. 리스트 역시 자료형이므로, 객체로 만든 다음 점을 찍어 기능과 데이터를 쓸 수 있습니다.

그림 9-1 리스트의 사용 규칙

반복문이란 반복되는 상황을 제어하는 문법입니다. 대표적인 반복문으로 for문과 while문이 있습니다. for문은 주로 리스트와 함께 사용하며, 리스트에 있는 데이터를 하나씩 가져와 for문 아래 내부 코드를 반복해서 실행합니다.

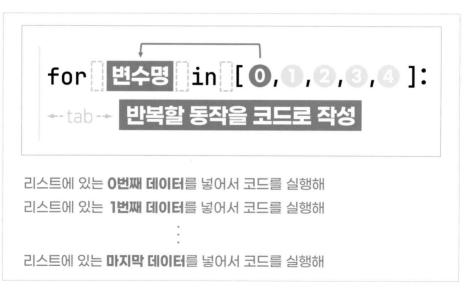

그림 9-5 for문의 사용 규칙

for문은 if문, break, continue 등과 결합해 다양한 용도로 활용할 수 있습니다.

for 변수명 in [0, 1, 2, 3, 4]:
← tab → (변수명 포함) 반복할 동작을 코드로 작성

리스트에 있는 0번째 데이터를 넣어서 코드를 실행해

리스트에 있는 1번째 데이터를 넣어서 코드를 실행해

break ←———————————————————— **반복 그만!**
for문 종료

(남은 코드)

⋮

리스트에 있는 마지막 데이터를 넣어서 코드를 실행해

for 변수명 in [0, 1, 2, 3, 4]:
← tab → (변수명 포함) 반복할 동작을 코드로 작성

리스트에 있는 0번째 데이터를 넣어서 코드를 실행해

리스트에 있는 1번째 데이터를 넣어서 코드를 실행해

continue ←———————————————————— **남은 코드는 건너뛰고!**
다음 반복을 시작해!

(남은 코드)

리스트에 있는 2번째 데이터를 넣어서 코드를 실행해

⋮

리스트에 있는 마지막 데이터를 넣어서 코드를 실행해

그림 9-6/9-7 반복문의 반복을 멈추는 break(위)와 남은 코드를 건너뛰고, 다음 반복을 시작하는 continue(아래)

while문은 조건이 참이면 그 아래 while문 내부 코드가 반복적으로 실행되고, 거짓이면 실행되지 않는 문법입니다.

그림 9-9 while문의 사용 규칙

10 딕셔너리

딕셔너리는 키(key)와 값(value)을 저장하는 자료형을 말합니다. 문자 자료형(string)을 str로 줄여서 표기한 것처럼 딕셔너리(dictionary)도 dict라고 줄여서 표기합니다.

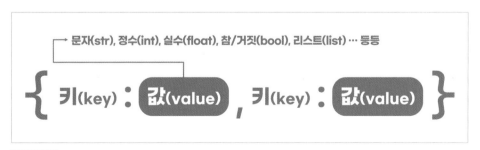

그림 10-1 키와 값을 저장하는 딕셔너리의 사용 규칙

에필로그

먼저, 이 책을 읽어주신 독자 여러분께 감사 인사를 전합니다. 프로그래밍을 배우는 건 쉽지 않은 일입니다. 기초 지식이 부족한 비전공자라면 더더욱 그렇죠. 그 마음을 누구보다 잘 알기에 첫 장부터 마지막 장까지 전부 이해가 되는 책을 만들기 위해 부단히 노력했습니다. 이러한 노력이 독자 여러분께 전해졌기를 바라봅니다.

강의의 내용이 책으로 나오기까지 오랜 시간이 걸렸습니다. 최고의 검을 만들기 위해 수만 번 망치질을 반복하는 대장장이처럼, 원고를 완성한 후에도 이를 다시 수정하고 다듬는 과정을 수없이 거쳤습니다. 이 힘든 여정을 함께해준 티더블유아이지 출판사에도 고마운 마음을 전합니다.

마지막으로 어렵고 힘든 시기에도 언제나 비빌 언덕이 되어주는 어머니와 누나, 그리고 이 모든 과정을 지켜보고 계실 하늘에 계신 아버지께 감사드립니다.

2024년 5월
최원영

비전공자를 위한 이해할 수 있는 파이썬

초판 1쇄 발행 2024년 6월 24일
초판 2쇄 발행 2024년 7월 24일

지은이 최원영
펴낸곳 티더블유아이지(주)
펴낸이 자몽

기획총괄 신슬아
편집 자몽 · 유관의 · 박고은
일러스트 최원영 · 나밍
마케팅 자몽

출판등록 제 300-2016-34호
주소 서울특별시 종로구 새문안로3길 36, 1139호 (내수동, 용비어천가)
이메일 twigbackme@gmail.com

ⓒ 최원영, 2024, Printed in Korea
ISBN 979-11-91590-26-5 (03000)